L'ATELIER D'ÉCRITURE

éléments pour la rédaction
du texte littéraire

Extrait de notre catalogue

L'ATELIER D'ÉCRITURE

éléments pour la rédaction du texte littéraire

par
ANNE ROCHE, ANDRÉE GUIGUET
NICOLE VOLTZ

Bordas

© Bordas, Paris, 1989
ISBN 2-04-018758-8

Table des matières

Avant-propos

L'atelier d'écriture : on voit parfois ces mots dans les annonces de stages, que signifient-ils au juste ?

Ecrire, c'est à la fois quelque chose de très simple, que tout le monde a appris à l'école (on écrit la lettre A, on écrit une dictée, on écrit une lettre) et quelque chose de très savant, de très compliqué : *écrire*, sans complément d'objet, c'est avoir une activité d'*écrivain*, c'est être un *écrivain*. Or, chacun de nous peut désirer *écrire* (ou devenir un *écrivain*, ce qui n'est pas tout à fait le même désir), mais nous en sommes empêchés par l'image écrasante des Auteurs, des grands Autres, des «vrais» écrivains. L'écriture reste un domaine réservé à quelques privilégiés, dont nous ne pouvons que consommer passivement les produits, que ce soit à l'école, au lycée, à la Fac, ou à la télé (*Apostrophes*), sans espérer devenir nous-mêmes producteurs.

Et pourtant, *le désir d'écrire existe*, maintes expériences le prouvent : les auteurs de ce manuel l'ont constaté dans des situations très diverses (en situation scolaire ou universitaire, mais aussi en formation d'adultes, dans des groupes de femmes, de jeunes en échec scolaire, etc.). Et ce désir *est pris en compte*, depuis une vingtaine d'années, en divers lieux ou institutions, scolaires et para-scolaires, qui souvent proposent ces fameux «ateliers d'écriture» qui nous ont donné notre titre. Autre symptôme de la généralisation de ce désir d'écrire et de communiquer ce que l'on a écrit, la diffusion de l'auto-édition et du compte d'auteur.

C'est dans ce champ que notre manuel se propose d'intervenir. Pour qui ? Comment ?

Pour qui ?

Pour tous ceux qui ont le désir d'écrire, mais ne savent pas par quel bout commencer, ou qui, ayant commencé, se sont heurtés à des obstacles qui leur ont paru insurmontables. Mais aussi pour ceux qui croient que l'écriture, «ce n'est pas pour eux», que c'est pour les bons élèves, les premiers de la classe. Notre pratique et notre réflexion nous ont amenées à penser qu'au contraire, une *stratégie de l'écriture et par l'écriture pouvait être un remède aux situations d'échec scolaire.*

Comment ?

Nous ne prétendons pas, n'étant pas télépathes, vous aider à analyser votre désir d'écriture et ce que vous y mettez en jeu : cette démarche, c'est à vous de la faire (ou de ne pas la faire). Peut-on faire un atelier d'écriture à distance ? Ce n'est, en effet, pas habituel ! Mais voici ce nous vous proposons :

• *Un ensemble d'exercices et de pratiques*, chaque chapitre en regroupant un certain nombre autour d'un axe particulier (par exemple le chapitre III insiste sur l'entraînement de l'imagination, alors que le chapitre IV met l'accent sur l'architecture du texte et les modèles possibles pour la fabriquer). Nous avons ménagé une progression, du premier au dernier, et aussi à l'intérieur de chaque chapitre, mais la progression de l'un n'est pas forcément bonne pour l'autre, et vous avez tout loisir de choisir, parmi les exercices, ceux qui vous conviennent le mieux, voire de construire votre propre progression. Dans certains cas, nous vous indiquons une sorte de «jeu de piste» qui vous permet de passer d'un chapitre à un autre sans forcément passer par toutes les étapes intermédiaires.

• *Une réflexion théorique*, dont les lignes directrices sont présentées dans l'introduction, qui sous-tendra chaque chapitre, et que vous pourrez prolonger à votre gré par les lectures qui vous seront conseillées dans la rubrique **pour en savoir plus,** située en fin d'ouvrage.

• Par là, *une incitation à passer à l'acte*, à sortir de l'intimidation fascinée devant l'Ecriture avec un grand E, et cela dans un constant dialogue-soutien avec les auteurs du passé et du présent, auteurs qui cesseront du coup de vous apparaître comme d'écrasants modèles. Et, dans le cas précis de l'étudiant de Lettres, avoir lui-même une pratique de l'écriture lui donnera une compréhension interne des fonctionnements textuels qu'il ne pourrait acquérir par la seule analyse théorique.

Les exercices proposés peuvent, en règle générale, être réalisés seul ou à plusieurs ; cela pour rappeler que l'atelier d'écriture est une aventure de groupe autant qu'une histoire personnelle. Il convient d'ajouter, dans cette perspective, que si ce manuel a trois auteurs, le travail théorique et pratique qui s'y montre a été élaboré au cours d'années d'expériences communes avec bien d'autres acteurs, qu'ils soient écrivains, enseignants, formateurs, ou tout à la fois. Parmi ceux avec lesquels nous avons le plus collaboré, et qui auraient pu participer à ce livre, il faut nommer Geneviève Mouillaud-Fraisse, Claudine Lautier, Evelyne Kormig ; des échanges moins constants, mais également féconds se sont faits avec Elisabeth Bing, Claude Burgelin, Gérard Figari, Simone Jeanne, Christine Doth, Harry Mathews et bien d'autres. Cette dimension collective de notre travail, loin d'être anecdotique, est l'un des aspects de la théorie qui le fonde, et que nous allons maintenant exposer.

Nous décrivons uniquement des exercices que nous avons personnellement pratiqués et fait pratiquer, et cela implique des choix, donc des omissions, et sans doute des oublis. Notre propos n'est pas de présenter un panorama exhaustif de tout ce qui peut se faire dans le domaine de l'écriture, mais de vous faire partager une expérience dont nous avons éprouvé l'efficacité. Ce partage, nous vous proposons de l'effectuer avant tout par **la pratique** : si nous nous référons à une certaine idée de l'écriture, nous ne voulons pas l'asséner au lecteur, mais lui permettre de la repérer progressivement, au fil des exercices.

Cependant, pour ne prendre personne en traître, voici donc nos «Thèses» préalables à l'Atelier d'écriture. Vous pouvez les sauter, mais tôt ou tard vous serez obligé d'y revenir...

Cet ouvrage a été conçu en commun. Chaque chapitre a été lu et discuté par les trois auteurs. Cependant, la rédaction des différents chapitres a été réalisée individuellement selon la distribution suivante :

Introduction, Chapitre I, II, III.4, IV.1 : Anne Roche
Chapitre IV.2, V : Andrée Guiguet
Chapitre III.1, 2, 3, VI, VII et conclusion : Nicole Voltz.

Bref préambule théorique

1. Dialogue de textes ou l'intertextualité

«C'est vilain de copier !» Depuis l'interdiction de copier à l'école primaire, jusqu'à la juridiction du plagiat, tout nous incite à fonctionner, du moins imaginairement, comme une sorte de gigantesque Société des Gens de Lettres, où chaque individu qui se risque à prendre la plume est condamné à être original, sous peine de sanctions. Cette condamnation est d'ailleurs parfaitement intériorisée : je veux être original(e), je veux être le seul à écrire ce que j'écris.

Or, cette injonction méconnaît ce que la moindre pratique, non seulement d'écriture, mais de lecture, nous apprend : avant d'écrire, on copie, ou, pour mieux dire, l'écriture commence avec la copie. Ce n'est pas devant un beau paysage, mais devant un tableau qu'on s'écrie : «Moi aussi, je serai peintre !»

Dans les siècles passés, cette pratique n'avait rien de scandaleux : c'était l'accès au métier. Mozart commence par copier des fugues de Bach, Géricault commence par copier les tableaux de Caravage, etc.

Aujourd'hui, avec les travaux de Bakhtine, popularisés en France par Julia Kristeva [1], avec la création de la notion d'*intertextualité*, s'est fait jour l'idée que tout écrit est le produit de tous les textes lus antérieurement par celui qui l'écrit, que tout auteur est pris dans le vaste réseau de tous les écrivains passés, présents et futurs. La réalité de l'intertextualité est bien antérieure à sa

---

1. Σημειωτική, Ed. du Seuil, 1967.

«découverte» par les théoriciens de la littérature aujourd'hui ; mais c'est surtout au XXe siècle que de plus en plus d'auteurs se sont mis à s'en réclamer, à faire des emprunts plus ou moins étoffés aux textes qu'ils aiment, et parfois à le dire explicitement.

Quelques exemples :

– Le romancier allemand Helmut Heissenbüttel, dans *la Fin de d'Alembert* [1] réécrit un roman classique, *Les Affinités électives*, de Goethe.

– Jacques Roubaud compose son *Autobiographie, chapitre X* [2] en un patchwork de citations de poètes surréalistes ou autres.

– Yak Rivais fabrique son roman *Les Demoiselles d'A.* [3] comme un centon, en n'utilisant que des phrases de romanciers antérieurs.

– Georges Perec, dans *La Vie Mode d'Emploi* [4] truffe son texte de citations «parfois légèrement modifiées» de Belletto, Bellmer, Borges, Agatha Christie (et ainsi de suite jusqu'à Unica Zürn) et en dévoile la présence dans un Post-Scriptum ; etc.

De tels exemples ne doivent pas faire illusion : l'intertextualité est loin d'avoir acquis droit de cité dans la République des Lettres, et la plupart des auteurs, qu'ils soient connus, obscurs, ou… virtuels, comme vous, se cramponnent au rêve d'être le seul auteur de leur texte.

Notre position :

Nous écrivons - vous écrivez, ou vous écrirez - parce que nous sommes - vous êtes - des lecteurs.

Nous prenons parti pour l'intertextualité, théorie *réaliste* de l'acte d'écrire.

Nous vous proposons d'être, vous aussi, des lecteurs qui écrivent.

Nous vous offrons l'aide des auteurs que nous aimons, que peut-être vous aimez déjà, pour écrire **comme eux**, et trouver ainsi la manière d'arriver à écrire **comme vous**.

---

1. Denoël, 1969.
2. Gallimard, 1975.
3. Belfond, 1979.
4. P.O.L., 1977.

2. La contrainte e(s)t la liberté

Qui de nous n'a éprouvé l'angoisse de la page blanche, qu'il s'agisse d'une rédaction à l'école, d'un texte dit libre, ou d'une tentative pour répondre à l'injonction paradoxale «*Soyez spontané* !» La «liberté» qui nous est ainsi offerte - imposée ? -n'a pour effet, le plus souvent, que de nous paralyser.

Notre position :

Nous vous proposons, surtout dans les premiers chapitres, des exercices qui obéissent à des contraintes strictes. Cela doit-il vous décourager, vous faire penser que «vous n'y arriverez pas» ? Au contraire : très vite, vous vous apercevrez que la contrainte vous porte, qu'elle vous permet d'écrire alors même que vous pensiez «n'avoir rien à dire», ce qui signifie le plus souvent «ne pas arriver à dire». Au fur et à mesure que vous progresserez dans votre démarche, vous constaterez que vous jouez de plus en plus facilement avec les contraintes proposées, et que les derniers chapitres, faisant la part moins belle aux consignes, vous permettent d'accéder à une forme plus «vôtre».

---

3. L'évaluation, vraie ou fausse question ?

«Ce que j'écris, qu'est-ce que ça vaut ?» Question que tous les animateurs d'ateliers d'écriture connaissent bien, et à laquelle ils n'aiment pas toujours répondre !

J'écris parce que j'ai lu, nous l'avons vu ; mais j'écris, aussi, *pour* être lu (par ma mère, mon copain, ma voisine, Bernard Pivot…). Dès lors, incontournable, se pose la question de l'évaluation de ce que j'écris. Cette question est en fait double.

L'auto-évaluation

Le plus souvent, l'apprenti écrivain a du mal à s'évaluer : il oscille entre une surestimation abusive de son œuvre et - cas plus fréquent qu'on ne croit - une dépréciation également abusive, qui parfois aboutit à un véritable blocage, interdisant la poursuite ou même le commencement de l'écriture.

Nous vous aidons à lutter contre les blocages, différents exercices - sinon tous - n'ont pas d'autre objectif. Mais, pour ce qui est de l'auto-évaluation, notre principal conseil sera de multiplier les dialogues, avec les livres que vous lisez - pour raccrocher l'échelle... - et avec les amis qui vous lisent. Et pourquoi pas donner à lire à vos ennemis, aussi ?

L'évaluation et le principe de réalité : être publié

On peut penser que seule la sanction de l'édition est probante, et que seul a une valeur un texte commercialisé dans le circuit «normal» de l'édition.

On peut également penser que le désir, bien légitime, d'être publié trouvera à la rigueur à se satisfaire dans le recours à l'auto-édition ou, ce qui est différent, au compte d'auteur.

Notre manuel ne se propose pas d'intervenir dans ce domaine : nous vous suggérons de consulter, par exemple, les ouvrages de Jean Guenot, *Guide pratique de l'écrivain* et Roger Gaillard et Jean-Jacques Nuel *Annuaire à l'Usage des Auteurs cherchant un éditeur*.

Nous espérons bien, si vous suivez nos jeux de piste, que vous arriverez à écrire un texte, des textes, «dignes» d'être publiés ; mais est-ce le seul but à se proposer dans l'écriture ? Pourquoi n'y aurait-il pas une pratique «privée» de l'écriture, pourquoi ne se réunirait-on pas avec quelques amis pour faire un *Renga* ou un lipogramme, comme on fait de la musique de chambre ou comme on danse ? Le plaisir du texte ne passe pas forcément par la publication...

Prêts ? partez !

I. Embrayeurs, ou comment démarrer

Dans ce chapitre, organisé autour d'exercices à contrainte très précise, mais qui, pour cette raison même, peuvent être faits à plusieurs comme des jeux de société, nous vous proposons, en allant du plus simple au plus complexe, de commencer à noircir la page blanche. Avec quoi ? Vous avez sans doute, pensez-vous, bien des choses à raconter par écrit : votre premier amour, ou le dernier en date, vos règlements de compte avec votre entourage, votre dernier voyage, etc. *Oubliez tout ça pour le moment* ! (vous les retrouverez à la sortie). Il ne s'agit pas ici de raconter quoi que ce soit, mais de vous entraîner à produire un texte.

1. Mini-mots

Les exercices que nous vous proposons dans cette première rubrique partent tous d'un élément de l'unité minimale (la lettre, le mot) dont ils offrent, en certains cas, une possibilité d'expansion narrative et/ou poétique. Certains vous sont certainement connus, comme le premier, l'*anagramme*, d'autres portent des noms qui vous paraîtront peut-être inquiétants ou obscurs, mais tous sont à prendre comme des *jeux*, c'est à cette condition que vous en tirerez le meilleur parti.

Anagramme

(n.f.) «Transposition de lettres, qui d'un mot ou d'une phrase fait un autre mot ou une autre phrase. Les mots *nacre, rance* et *ancre* sont des anagrammes les uns des autres». (Littré).

«J'aimerais mieux tirer l'oison/
Et même tirer à la rame/

que d'aller chercher la raison/
dans les replis d'une anagramme».

(Colletet, in Ménage, *Dictionnaire étymologique, ou origines de la langue française*, Paris 1694).

Peut-être ne trouverons-nous pas la «raison» dans les anagrammes, mais elles peuvent être un moteur non négligeable de fiction. Bien des auteurs les ont utilisées.

Ex : Edgar Poe, dans les *Histoires extraordinaires*, anagramme du nom Bedloe/Oldeb ; Stephen King, dans *Shining*, joue sur l'effet de miroir entre MURDER et RED RUM ; c'est grâce à un jeu de scrabble, qui lui permet de décomposer/recomposer un nom propre anagrammatisé, que l'héroïne de *Rosemary's Baby*, film de Polanski d'après le roman d'Ira Levin, découvre le danger qui la menace, etc.

De tels effets sont déjà passablement sophistiqués ; nous allons commencer de façon plus simple, ce qui ne vous empêchera pas, quand vous serez plus entraînés, de revenir périodiquement sur ces exercices de début et de les complexifier.

Il n'est pas mauvais de disposer d'un jeu de scrabble, mais des lettres écrites sur une feuille peuvent faire l'affaire !

Exercice :

Prenez un mot, pas trop court : ex. TAVERNIER.

Décomposez-le en ses éléments, et combinez-les de toutes les façons possibles : TARE, VERT, VERNI, RAVE, RAVIR, NIER, RIEN, RIVER, RITA… Vous avez déjà tous les éléments pour écrire un mini-drame paysan (un vol de raves, que le voleur nie, à moins qu'il ne s'agisse du rapt de Rita, etc.) !

Un cas particulier d'anagramme : le «Beau présent»

Votre meilleur ami se marie, et vous n'avez pas un sou pour lui offrir un cadeau, ni d'imagination pour lui en bricoler un. Aucune importance ! vous allez lui offrir un «beau présent» qui sera en tout cas le plus original de tous ceux qu'il recevra. Prenez les lettres de son nom, celles du nom de sa fiancée (on peut utiliser les seconds prénoms : plus il y a de lettres, mieux ça vaut…), et combinez-les de toutes les manières qui vous viendront, pour en tirer un maximum de mots (substantifs, adjectifs, verbes…). Quand vous aurez constitué une liste assez importante, vous n'aurez plus qu'à organiser ces mots, en prose ou en vers selon le courage que vous vous sentirez.

Perec en particulier a illustré le principe du «Beau présent» en composant plusieurs épithalames pour les mariages de ses amis :

> *«L'épithalame est un texte de circonstance destiné à accompagner les époux jusqu'au lit nuptial, en faisant l'éloge de leurs vertus, en remerciant les Dieux qui les ont fait se rencontrer et en évoquant les félicités qui les attendent (...). Quoi de plus opportun que d'offrir en présent aux mariés un texte construit à partir des seules lettres de leurs noms réunis ? C'est comme si le mariage les faisait entrer de concert dans une langue à eux seuls commune».*

(Georges Perec, *Epithalames, Bibliothèque Oulipienne* n° 19. Cf. infra *Qu'est-ce que l'Oulipo ?*)

Qu'est-ce que l'Oulipo ?

Plusieurs des exercices proposées dans cette rubrique, et d'autres qui le seront plus tard, sont d'inspiration oulipienne. Que signifie ce terme ? Un petit historique s'impose.

L'OULIPO, autrement dit OUvroir de LIttérature POtentielle, a été créé en 1960, autour de Raymond Queneau, poète, mathématicien et romancier (vous connaissez de lui au moins *Zazie dans le métro*) et du mathématicien François le Lionnais. Les autres membres fondateurs étaient Jacques Bens, Claude Berge, Jacques Duchateau, Jean Lescure et Jean Queval. Queneau formula ainsi le projet :

> «Il s'agit peut-être moins de littérature proprement dite que de fournir des formes au bon usage qu'on peut faire de la littérature. Nous appelons littérature potentielle la recherche de termes, de structures nouvelles et qui pourront être utilisées par les écrivains de la façon qui leur plaira».

Les membres de l'Oulipo se sont donc proposé, dès le départ, en s'inspirant de modèles anciens (les troubadours, les grands rhétoriqueurs) ou récents (Raymond Roussel) de frayer la voie à de nouveaux modes d'écriture.

Depuis la fondation, se sont ajoutés de nouveaux membres : Georges Perec (auquel nous emprunterons souvent), Jacques Roubaud, Harry Mathews, Italo Calvino, Marcel Bénabou, [1] etc.

---

1. Cf. bibliographie.

Tautogramme

Si l'anagramme sert beaucoup, dans la fiction, la publicité, etc. le tautogramme est une forme plus rare, qui n'est pratiquement plus usitée. Il s'agit d'un poème à forme fixe, dont tous les vers commencent par la même lettre, ou d'un vers dont tous les mots commencent par la même lettre. Littré, pourtant riche en bizarreries littéraires, n'en donne aucun exemple ! Il en existe néanmoins. Pour s'en tenir à quelques modernes :

voici un début de tautogramme en Z, œuvre de Georges Duhamel :

«Dictée nostalgique en Z :

Zinnias, mes beaux zinnias, vous n'avez plus aucun pouvoir. Ah ! que ne suis-je à Zanzibar avec Zénaïde ou Zoé ! etc.»

Allant plus loin, Jean Queval se sert du tautogramme comme machine de guerre contre la rime : tout en reconnaissant que celle-ci est très ancrée dans la tradition poétique française, il propose de lui substituer «l'allitératif, c'est-à-dire l'unité de la consonne, qui dès lors serait répétée judicieusement et, quelque bonheur aidant, avec grâce» *(Oulipo III, 2, p. 257).*

Dans cette perspective, Queval a écrit *L'Autobiographie de presque tout le monde* (pastiche du titre de Gertrude Stein, *L'Autobiographie de tout le monde*), série de dix-huit tautogrammes à partir de dix-huit consonnes :

«Jalons de ces jours-là
Jactances de jadis
Quand on jaspinait le javanais
Le jeudi jacassait un jacaranda
O Jeannot les jeûnes dans ta jeunesse» (Ibid. p. 259).

Enfin, on peut considérer *Les Revenentes* de Perec,[1] comme un tautogramme, puisque l'auteur y utilise toutes les consonnes, mais la seule voyelle E (au prix de quelques entorses à l'orthographe) : pour emprunter un résumé au texte même, «Bérengère de Bremen-Brevent entreprend de vendre ses perles et se sert de l'entregent de l'évêqe (sans U) d'Exeter (…) Hélène espère prendre les gemmes de Bérengère. Elle se rend en Engleterre, chez Estelle et Clément. Clément, c'est mezeeg, le frère d'Estelle et, de temps en temps, le

---

1. Julliard, 1972.

mec d'Hélène» (p. 49). Sombre histoire qui culmine en une fracassante orgie (ou plutôt «pence-fesses») à l'évêché d'Exeter !

Exercice :

A votre tour, vous allez fabriquer un tautogramme. Ne cherchez pas pour le moment une forme rimée ou fixe, pour ne pas cumuler les difficultés : faites un «stock», à l'aide d'un dictionnaire, d'un certain nombre de mots (substantifs, verbes, adjectifs) commençant par la même lettre, puis combinez-les, en réduisant au minimum l'emploi des mots-outils commençant par d'autres lettres.

Le lipogramme

Un lipogramme est un texte qui obéit à la contrainte suivante : on en élimine (du grec leipo, je laisse) une lettre (gramme), choisie de préférence parmi les fréquentes dans la langue considérée. Pour nous, la lettre la plus fréquente en français est le E. Georges Perec est parvenu au tour de force d'écrire un roman entier sans la lettre E (*La Disparition* [1]).

La Disparition

Impossible de répertorier tous les effets de la contrainte créée par l'absence d'E : mentionnons que cet interdit a pour conséquences la mort brutale d'un barman à qui un client non averti avait commandé un porto-flip (boisson qui nécessite des ŒUFS) et celle non moins tragique d'un chanteur d'opéra qui, dans le rôle du Commandeur de *Don Giovanni*, s'effondre en lançant le MI fatal (E en anglais !). Voici, en guise d'échantillon, les événements de Mais 68 dans la version lipogrammatique de Perec :

«Ça arriva un trois mai. «Agitation au Boul'Mich» titra un journal du soir. Sur l'injonction d'un mandarin pas malin, un adjudant lança son bataillon à l'assaut d'un tas d'anars, cocos ou J.C.R. qui, à bon droit, voulait un pardon total pour cinq copains foutus au trou. Un gros caillou pris dans la cour vola sur un grand camion noir garni d'orangs-outangs vachards. Un tumulus apparut au mitan d'un trottoir ; on y voyait un tronc abattu dans un fatras non concis d'autos qu'on brûlait. Craignant un mauvais parti, Grimaud ordonna son pogrom : l'argousin s'affaira, matraquant, asphyxiant, s'acharnant sur maint moribond k.o.

---

1. Denoël, 1969.

L'opinion s'alarma. Un million d'individus parcourut Paris, brandissant qui son chiffon noir, qui son chiffon cramoisi, hurlant vingt slogans antidictatoriaux : «Dix ans ça suffit», «Charlot nos sous», «Pouvoir au Populo» (p. 64-65).

Pratiquement, comment y arriver ?

Exercice :

Préparez une liste de : vingt substantifs, vingt adjectifs, vingt verbes, ne comportant pas la lettre E (ou celle des lettres que vous avez décidé d'exclure). Ne vous préoccupez pas du sens ! Cherchez simplement à exécuter la consigne. Quand votre liste est prête, cherchez à réaliser des liaisons syntaxiques entre les différents termes choisis (attention, pour les verbes, aux formes conjuguées qui vous amèneraient à utiliser la lettre interdite, pour les adjectifs, au féminin, etc.) et à composer des phrases qui soient grammaticalement «correctes», toujours sans vous poser la question du sens. Vous verrez en vous lisant que vous avez probablement abouti à un petit «chef-d'œuvre» d'absurdité et de cocasserie, et vous vous demanderez peut-être, avec quelque admiration, si c'est bien de vous ! Vous venez de découvrir un des effets bénéfiques de la contrainte.

Variante : La liponymie

Même principe que l'exercice précédent, mais on omet non plus une lettre mais un mot : il va de soi que l'exercice est plus facile à réaliser. Aussi offre-t-il moins d'intérêt, à l'écrit, que le lipogramme : en revanche, vous pouvez y jouer à plusieurs et à l'oral, sous forme de la contrainte bien connue (ex. «Ne dire ni OUI ni NON»).

Voyage autour du dictionnaire

L'exercice de l'anagramme vous a déjà montré que le mot n'était pas un tout intangible, mais que vous pouviez jouer avec, bousculer les lettres qui le composent, les intervertir, les chahuter, et en faire surgir d'autres mots imprévus, qui pouvaient à leur tour donner naissance à des histoires. A nouveau, nous allons jouer avec les mots, non plus seulement en faisant bouger les lettres, mais, par l'entrechoquement des syllabes et des significations, en faisant apparaître de nouveaux mots (des néologismes, n'ayons pas peur des mots !) et/ou de nouveaux sens.

Sur cette piste, nous avons de nombreux précurseurs. Sans remonter au déluge, il faut au moins mentionner le plus important : FREUD qui, le premier, a cherché dans les mots malmenés (les lapsus) à la fois les origines de la maladie et, plus secrètement, celles de la poésie : qui a recherché les étymologies des mots - de façon parfois peu scientifique, mais ce n'est pas l'essentiel ici - pour en souligner l'ambivalence, ou la polysémie : bref qui, contre le discours médico-psychiatrique de son temps, place le langage non seulement comme symptôme, mais comme

«Discours prophétique et paré» (Valéry).

Cela dépasserait de beaucoup les limites de cet ouvrage que d'étudier ou seulement d'esquisser l'influence que Freud a exercée sur les poètes et les écrivains (Gide, les surréalistes, Leiris, etc.). Qu'il suffise d'indiquer sa présence essentielle, à l'entrée d'une exploration du langage qui, sans lui, n'aurait peut-être pas eu lieu, même si quant à nous nous n'en faisons pas d'exploitation analytique [1].

Les surréalistes se sont inspirés de Freud - ou l'ont rencontré - en divers points : écriture automatique, récits de rêves, «sommeils», recherche de la collaboration avec l'inconscient... Toutefois, le poète qui a le plus systématiquement exploré les voies d'invention linguistique ouvertes par Freud n'a fait que traverser le surréalisme : il s'agit de LEIRIS.

Dès 1925, dans *Glossaire j'y serre mes gloses* (le titre annonce la couleur !), il pratique une «déconstruction créatrice» du lexique : chaque mot est décomposé en ses éléments phonétiques et/ou graphiques, puis le joueur en fait surgir par association d'idées d'autres mots qui se combinent pour former une nouvelle définition du mot-source, ou, dans d'autres cas, pour forger un nouveau mot, un «monstre», suffisamment proche néanmoins du ou des mots qui l'ont engendré pour rester intelligible ; il ne s'agit pas de simples jeux de mots, mais :

«En disséquant les mots que nous aimons, sans nous soucier de suivre ni l'étymologie, ni la signification admise, nous découvrons leurs vertus les plus cachées et les ramifications secrètes qui se propagent à travers tout le langage, canalisées par les associations de sons, de formes et d'idées. Alors le langage se transforme en oracle et nous avons là (si ténu

---

1. Cf. en fin d'ouvrage, bibliographie sur Freud.

soit-il) un fil pour nous guider, dans la Babel de notre esprit». (Préface de 1925).

En effet, de ce qui pourrait sembler n'être que pure virtuosité, Leiris a fait le moteur engendrant toute son œuvre : *L'Age d'Homme* et *La Règle du Jeu* , ces modèles de l'autobiographie au XXe siècle, sont écrits certes à la lumière de la psychanalyse et de l'ethnologie, mais aussi au croisement des recherches constantes de Leiris sur la productivité du langage. Les plus récents textes de Leiris, comme *Langage Tangage*, ont d'ailleurs tendance à mettre au tout premier plan cette strate de son œuvre.

Dans la pratique, nous, que pouvons-nous faire avec ces viviers de mots que nous offrent les dictionnaires, et comment adapter les intuitions de Leiris à notre niveau ? On peut répartir les exercices en deux rubriques :

• *Jouer avec la matérialité du mot :*

– L'«Acruciverbostiche»

Ce mot, assez épouvantable il faut le reconnaître, est né de la rencontre (observée par l'oulipien Noël Arnaud) de l'acrostiche et du cruciverbisme : l'acrostiche étant une pièce de vers dont les premières lettres de chaque vers permettent de lire verticalement le nom du dédicataire, le cruciverbisme étant l'art des mots croisés. Arnaud, à partir de ces deux notions, a mis au point un procédé qui devrait permettre de «faire dire aux mots ce que leur définition nous cache» (*Oulipo*, III, 1, p. 246), ce qui n'est pas sans nous rappeler Leiris. Il s'agit de prendre un mot court, d'écrire verticalement, sous chacune de ses lettres, un mot commençant par cette lettre, pris au hasard ; ensuite, en lisant horizontalement les séries de lettres ainsi obtenues (et qui, sauf exception, ne formeront pas un mot déjà existant), de procéder à des associations d'idées formées sur chacune de ces séries. «Jusqu'à épuisement», ajoute l'auteur, et on veut bien le croire !

– Plus connu, et sans doute plus riche de possibilités, le *logogreffe*, encore appelé «porte-manteau» (Lewis Caroll) ou plus fréquemment «mot-valise».

Voici comment Alain FINKIELKRAUT, l'inventeur du terme sinon de la chose, définit la fabrication du mot-valise :

«Prenez un mot de la langue. Choisissez-le de préférence assez long. Oubliez le sens, pour ne vous attacher qu'à sa physionomie. Lentement,

patiemment (ceci est un jeu dominical), dévisager votre vocable. Si la chance vous sourit, un mot surgira dans votre esprit qui présente avec le premier quelque trait de ressemblance. Alors commence l'opération délicate : il faut que ces deux termes fusionnent, vous devez les croiser afin que naisse de cette union un petit bâtard bizarre (puisqu'il ne se rencontre dans aucun dictionnaire vivant) et familier (puisqu'on reconnaît en lui la présence des deux mots d'origine)» (Petit fictionnaire illustré, Seuil, 1981).

Quelques exemples de mots-valises et leur «définition» :

Acidu : consommateur régulier de substances hallucinogènes. «Un élève acidu est perdu pour les études» (Georges Marchais).

Aigrivain : homme de lettres.

Armoure : ensemble des défenses qui protègent l'individu contre la douleur d'aimer.

Babarbiturique : tranquillisant assez fort pour endormir un éléphant.

Bidingue : qui délire en deux langues.

Dœil : regard d'embué de mélancolie, etc.

Exercice :

Maintenant que vous avez compris le mécanisme du jeu, vous pouvez vous lancer. La fabrication de mots-valises ne permet pas, à elle seule, de créer une «histoire» ; mais elle constitue un excellent stimulant pour l'imagination, et peut parfois fournir des amorces de récits : comme le dit Finkielkraut, en forgeant des définitions pour les mots-valises que vous avez bricolés, «*Vous qui n'êtes pas philosophes, vous inventez des notions ; vous dont l'imaginaire est pauvre, vous engendrez des amorces d'histoires auxquelles vous n'aviez jamais rêvé, et vous fabriquez des fantasmes qui ne sont même pas à vous…*»

De nombreux auteurs, anciens ou modernes, se sont divertis à forger des «mots-valises» : vous en trouverez des exemples inattendus dans le *dictionnaire des mots sauvages* [1] de Maurice Rheims. Cet ouvrage répertorie plus de trois mille mots «insolites, éphémères ou non» utilisés par des écrivains du XIXe et du XXe siècle. Comme le précise l'auteur,

«Ces «mots sauvages» ne sont pas seulement pittoresques ; nombre d'entre eux pallient certaines insuffisances du vocabulaire

---

1. Larousse, 1969.

«officiel» et témoignent, de la part de leurs inventeurs, d'un souci de respecter les règles qui président à la formation des mots».

Queneau a fourni un sérieux contingent de «mots sauvages» (âcresistence, achélème, aiguesaltation…). Le lecteur s'amusera parmi les falsifis, famillionnaires, patrouillotisme et autre cosmopolissons et pourra s'en inspirer pour de nouvelles trouvailles.

• **Jouer avec la définition du mot :**

Beaucoup d'écrivains, sinon tous, ont le souci de «donner un sens plus pur aux mots de la tribu» (Mallarmé), ou, ce qui peut revenir au même, de choisir leurs mots d'une façon qui leur soit spécifique, et au besoin «non sans quelque méprise» (Verlaine), c'est-à-dire de ne pas les utiliser dans l'acception la plus courante. Nous verrons plus loin jusqu'où peut aller ce désir de renouveler le lexique ! Pour le moment, tenons-nous en aux dictionnaires et à leurs définitions. Un roman récent (Richard Jorif, *Le Navire Argo*) s'amuse à traquer dans le dictionnaire Littré les éléments d'une autobiographie secrète d'Emile Littré lui-même, dont la vie discrète et érudite ne semble guère se prêter à de grandes aventures. Sans aller jusque là, la forme même du dictionnaire, par son apparence scientifique, «au-dessus de tout soupçon», a été choisie par certains auteurs pour formuler leurs critiques des mœurs de leurs contemporains : citons Flaubert, *Le dictionnaire des idées reçues*, ou Ambrose Bierce *Le dictionnaire du diable* [1]. Les «définitions» données par ces dictionnaires affectent le ton objectif des «vrais» dictionnaires, et leur ironie n'apparaît qu'à l'analyse :

«ELECTEUR : celui qui jouit du privilège sacré de voter pour l'homme choisi par un autre.

SOTTISES : Objections soulevées contre cet excellent dictionnaire.» (Bierce) Parfois les définitions se transforment en injonctions : comment se comporter quand on rencontre tel ou tel phénomène, de préférence nouveau ? «Tonner contre» (Flaubert).

_____

1. Écrit entre 1881 et 1906, publié en revues, première édition complète en 1946, trad. fr. Les Quatre Jeudis, 1955.

Exercice :

Il est sans doute plus difficile d'imiter Flaubert, Bierce ou leurs pareils que de fabriquer des mots-valises : toutefois, vous pouvez vous amuser à les lire et à créer, en vous inspirant d'eux, des «définitions» paradoxales ou performatives.

---

2. Mini-récits

Les exercices que nous venons de voir, même s'ils débouchent parfois sur des fabrications de récits, d'«histoires», étaient avant tout axés sur l'unité minimale (lettre ou mot). Dans les exercices que nous allons aborder à présent, il s'agit de produire une ou des *phrases* : ici encore, nous laissons entre parenthèses la question du sens, nous ne nous préoccupons que de fabriquer des phrases selon certaines règles. Bien sûr, les facteurs personnels vont entrer en jeu ! la preuve en est que deux phrases fabriquées selon les mêmes règles par deux personnes différentes n'auront souvent pas grand'chose de commun, sinon la règle précisément. Mais attachez-vous avant tout à exécuter la consigne ; le «sens» vous sera donné de surcroît...

La boule de neige

Vous connaissez le principe de la boule de neige, du moins telle qu'on la voit dans les bandes dessinées : une boule, petite au départ, va grossir de plus en plus en roulant dans la neige. Le texte «en boule de neige» obéit au même principe : il s'agit de composer une phrase, la plus longue possible, selon le schéma suivant :

Premier mot : une seule lettre (par exemple : J', L', A, O, etc.)

Deuxième mot : deux lettres

Troisième mot : trois lettres, et ainsi de suite.

Facile ? Essayez donc !

Voici deux «réalisations», empruntées à des oulipiens :

1. A la mer nous avons trempé crûment quelques gentilles allemandes stupidement bouleversées (Jacques Bens)

2. L'os dur rêve parmi trente pierres blanches, furieuses métaphores réalisables mortellement (Jean Lescure) (*Oulipo* I).

Homosyntaxisme

Comme dans le lipogramme, il s'agit de composer un texte sans se préoccuper de son «sens», mais en respectant la contrainte suivante : on se donne une certaine structure syntaxique, par exemple :

V = verbe, A = adjectif, S = substantif, soit la succession :

VVSSSSASSVVSSSVSVASASVVVVVSASSSSVVSSASSV.

On intercale, dans cette succession, les articles, prépositions, conjonctions, etc. dont on a besoin pour fabriquer ses phrases.

Vous pouvez, si vous craignez de rester coi, préparer comme pour le lipogramme une liste de verbes, substantifs, etc. mais ce n'est pas indispensable : l'essentiel est de respecter l'ordre syntaxique donné par la contrainte. Si vous faites cet exercice en groupe (ce peut être un jeu de société amusant), vous serez sans doute surpris de constater que, malgré la contrainte syntaxique qui est par définition la même pour tout le monde, chacun de vous aboutira à une grande diversité de textes.

Pour vous le prouver, deux *débuts* d'exemples :

Noël Arnaud : «*Voyez valser les saucisses, les salamis, les salaisons, les salpicons. Abject salmigondis ! Et quelle salade !...* (*Oulipo* I, p. 176).

Ross Chambers : «*Il vous arrivera peut-être de rencontrer en quelque endroit du monde la cantatrice chauve. Aux délices de l'acapillarité elle joint - vous ne le constaterez pas sans envie - les joies de l'aphonie, etc*» (*Oulipo* I, p. 177).

Jeux à partir des phonèmes

Dans notre «Voyage autour du dictionnaire», nous avons commencé à explorer les ressources des mots comme «producteurs» d'autres mots. Ici, il va s'agir de les utiliser comme moteurs de fiction, engendrant des histoires, cela à partir de leurs sonorités et des associations d'idées qu'elles produisent. Nous n'en donnerons ici que deux exemples, mais nous retrouverons ce procédé, sous une forme plus élaborée et plus complexe, dans le chapitre IV, avec l'exposition du «procédé» inventé par Raymond Roussel (voir infra p. 73).

La paraphrase homophonique, ou le petit abécédaire illustré.

Perec, cruciverbiste virtuose, savait à merveille jouer de toutes les ressources phonétiques ou autres des syllabes les plus brèves. Il en a donné mainte preuve, notamment *La Petite histoire de la Musique* (dans laquelle les syllabes des noms des musiciens donnent lieu à des calembours qui produisent à leur tour de mini-histoires : voir les mésaventures de Beethoven avec un *loup de wigwam* !), ou *Les Horreurs de la Guerre*, «drame alphabétique» en trois actes, composé - quant aux dialogues - uniquement par la succession des lettres de l'alphabet. Dans *Le Petit Abécédaire illustré*, il prend la succession analogue des consonnes, suivies chaque fois par la succession des voyelles (BA BE BI BO BU, CA KE KI CO CU, etc.) et en fait une sorte de petite saynète pleine d'invention. A la lecture de chaque saynète, il est souvent difficile, même si on connait la contrainte, de retrouver la succession de syllabes-source !

Exemple :

«Un jeune fifre de la Musique du Train des Equipages de la Flotte a déserté et s'est réfugié chez un ami vigneron. Mais la police arrive. Vite, le vigneron ordonne au déserteur de jeter son fifre et ses papiers d'identité dans un des tonneaux de sa cave» = **Faf' et fifre au fût !** (Oulipo *I, p. 240*).

Italo Calvino a utilisé la même contrainte dans le *Piccolo Sillabario Illustrato* [1].

Dans *La Cantatrice Sauve*, Perec et quelques complices se sont livrés, dans une «fièvre homophonique», à une série de transformations phonétiques du nom de la diva Montserrat Caballé. En voici quelques échantillons : on cite d'abord le texte d'arrivée, ensuite la décomposition homophonique qui lui a servi de base :

«4. Toute la nuit, l'auteur du Cri traîna dans la ville. Mais un fiacre ami le suivait, prêt à lui venir en aide :

MUNCH ERRA, CAB ALLIE.

---

1. Cf. Oulipo 3, vol 1, p. 97.

9. *Le concert de Thelonious a été un bide : ses détracteurs avaient organisé un douloureux chahut :*

MONK, C'EST RATÉ : CABALE Y EST.

15. *Tu te trompes, mon ami, dit Queequeg à Ismaël, le capitaine n'a pas cloué la pièce d'or au mât du Pequod, il l'a attachée avec de la ficelle :*

MON CHER, ACHAB A LIE !

(Allusion à *Moby Dick*, un roman de Melville particulièrement cher à Perec). Et ainsi de suite, pendant cent paraphrases homophoniques du même nom.

Exercice :

Cet exercice, qui demande une certaine virtuosité dans le calembour, constitue également, nous l'avons dit, une bonne préparation aux exercices inspirés du «procédé» roussellien, cf. infra chap. IV section 2.

Partez de votre propre nom, et amusez-vous à en faire une paraphrase homophonique, sur le modèle perecien. A titre d'exemple, nous avons tenté nous-mêmes l'expérience, et voici quelques résultats :

1. *Les hauts plateaux boliviens découvrent les fêtes druidiques au son d'une flûte monocorde spéciale*

ANDES RÉ GUI GAI

2. *L'homme refusait d'avouer : en fait il était chancelier d'Allemagne Fédérale et venait d'être surpris en train de dérober le fameux dossier ultra-secret TZ*

NIE KOHL VOL TZ

3. *Certains aiment le rôti bardé de lard. Pour ma part, je le préfère simplement entouré de ficelle, comme nos ancêtres paysans à la mode de «cheu» nous*

EN NŒUDS RÔT CHEU

4. *La nuit du Nouvel An, il s'efforçait de marcher droit et en silence, mais ses hoquets l'ont finalement fait repérer*

AN DRET HIC HÉ !

5. *Dans la garçonnière qui avait abrité leurs amours passées, pour se venger elle répandit un litre de glu et donna la liberté à un essaim de mouches tsé-tsé.*

NID COLLE VOL TSÉ

Jeux lettristes

Pour clore cette première série d'exercices, et en même temps pour vous permettre de vous détendre, voici une petite récréation d'inspiration lettriste.

De quoi s'agit-il ? Disons d'abord quelques mots du mouvement lettriste.

Créé par Isidore ISOU en 1942, en Roumanie, le lettrisme se veut la «poésie des lettres». Il s'est caractérisé, à ses débuts, en orchestrant de nombreuses et parfois virulentes attaques contre le dadaïsme et le surréalisme. Les lettristes ont quelquefois réécrit des œuvres connues, mais ont rapidement dépassé ce stade en inventant un vocabulaire, une musique, une prononciation, censés être accessible à tous, fondés sur des tentatives de formalisation et d'écriture des onomatopées, des bruits, des sentiments. Le mouvement lettriste se veut un art populaire et considère qu'il lutte contre l'élitisme culturel et les dominations des arts reconnus.

Voici quelques exemples des «lettres nouvelles» proposées par Isidore ISOU ; (N'oublions pas le côté déclamatoire de la composition lettriste, faite pour être prononcée avec une grande puissance vocale).

– 1 A (alpha) = aspiration (forte)

– 2 B (bêta) = expiration (forte)

– 5 (E) epsilon) = grognement (comme un chien prêt à aboyer)

– 6 H (êta) = ahaner (son rauque) fait avec le gosier en gonflant le ventre.

– 16 T (tau) = crépitement (comme imiter le bruit d'une auto)

– 17 Y (upsilon) = le son du crachat (une sorte de peuh-pouah-ptiou ensemble).

Par ailleurs, les lettres et les consonnes sont classées, regroupées par affinités, des «lois» naissent, qui organisent les textes. Nous trouvons par exemple les consonnes qui «solidifient» comme k, d, b, g, et c ; d'autres qui fléchissent et s'amollissent comme f, l, h ; et certaines sont jugées «étranges, risquées et bizarres» comme j, z, r.

Dans son ouvrage, *La poésie lettriste* Jean-Paul CURTAY [1]

---

1. Jean-Paul CURTAY, *La poésie lettriste*, Paris, Seghers, 1974.

commente un poème d'Isidore ISOU «Lances rompues pour la dame gothique» et entend, reconnaît, le bruit de la cavalcade des chevaux, les cris de guerre des combattants et les heurts de la bataille dans des «phrases» telles que :

«   Coumquel cozossoro   BINIMINIVA

                                  BINIMINIVA

Coumquel querg ! coumquelcanne !

                                  MAGAVAMBAVA !

                                  MAGAVAMBAVA !

Fambojorigan !   KOUBLA-KAN

                                    KOUBLA

                                    KOUBLA

                                  KOUBLA-KAN !»

Si cela vous tente, vous pouvez essayer de transcrire la vie et l'environnement d'un poisson de rivière, le monde sensitif de la grenouille, du boulanger-pâtissier, de l'agent de police réglant la circulation, ou encore du chat de gouttière ou de tout autre animal ou être humain plongé dans un contexte sonore particulier.

Sans entrer dans le formalisme des lettristes, faites le pari de restituer des sons, des émotions, des scènes, avec le seul appui des voyelles et des consonnes, employées d'une manière totalement personnelle [1].

---

1. Cf. infra, «Langages imaginaires», p. 57.

II. «Traitement de texte»

Sous cet intitulé, qui est évidemment un détournement, nous regroupons un ensemble d'exercices dont le point commun est d'être fabriqués à partir d'un ou de plusieurs textes antérieurs. Il nous arrivera par la suite de vous proposer d'autres fonctionnements qui feront également appel à d'autres textes : mais, dans ce chapitre, où vous commencez à faire vos gammes, l'accent est mis uniquement sur le procédé dans ce qu'il a de plus «mécanique». Ce qui ne veut pas dire que, dès maintenant, vous ne devez pas essayer de l'enrichir et de le «personnaliser» à votre manière !

La notion de «traitement de texte», telle que nous la proposons, est liée à une certaine théorie de la littérature et de l'écriture, dont le concept-clef est ici celui d'*intertextualité* (Relisez l'Introduction, si vous l'aviez éludée au démarrage !). Quelques écrivains l'ont pratiquée consciemment, et pas seulement parmi les contemporains (Montaigne, Rabelais, Dante, Goethe…) : mais, de façon plus générale, on peut dire que tout texte est un «retraitement» d'un ou plusieurs textes antérieurs.

C'est en nous fondant sur ce principe que nous vous proposons les quelques exercices suivants, les premiers étant les plus contraints.

1. Manipulations de texte

Le «poème au rasoir»

Matériel nécessaire : une lame de rasoir (selon l'âge du joueur, on peut préférer les ciseaux à bout rond) et un stock de journaux, hebdomadaires, revues, etc. le plus varié possible. On peut réaliser l'exercice seul ou à plusieurs : dans ce dernier cas, on pourra utiliser la technique bien connue du «cadavre exquis», qui consiste en ce que chaque joueur à tour de rôle «pose» son mot ou son groupe de mots sur la feuille commune sans savoir ce que le joueur précédent a mis (la feuille est repliée entre chaque joueur).

Inspiré de certains jeux dadaïstes et surréalistes, l'exercice consiste à découper dans les journaux un certain nombre de mots ou de syntagmes (suites de mots) pris au hasard, puis à les mélanger et à les coller à la suite les uns des autres sur une ou plusieurs grandes feuilles de papier.

Et après ? direz-vous peut-être. Petit jeu puéril pour occuper un après-midi de pluie, mais à quoi cela sert-il ?

A nos yeux, cet exercice a (au moins) deux fonctions :

– *Une fonction de déblocage* : le joueur n'a pas à «chercher» ses mots, puisqu'il n'a qu'à les puiser dans le journal, à les choisir et à les combiner, il échappe donc à l'anxiété de la «recherche».

– *Une fonction théorique* : faire comprendre qu'écrire, c'est toujours puiser dans le langage antérieur, dont on n'est pas l'auteur : mais on est l'auteur des combinaisons, des «arrangements» auxquels on se livre.

Il serait d'un intérêt médiocre de donner un exemple de réalisation : vous pouvez dès maintenant vous en proposer vous-même. Mais il peut être utile de méditer la réflexion de Jean Queval, qui, dans un court texte intitulé *Cent Ons*, présente sa propre version de ce que nous avons appelé le «poème au rasoir». Rappelant «les recherches d'écriture automatique des surréalistes, auxquelles, si j'en dois croire Queneau/.../Breton renonça, voyant s'accumuler les automatismes bretonnants», il ajoute :

«*Ma chétive tentative a peut-être le caractère d'une recherche automatique sur les clichés collectifs du temps*». (Oulipo III, 2, p. 267).

Ce qui désigne une troisième fonction de l'exercice, la *fonction critique* : déconstruire les façons standard de s'exprimer, c'est déjà prendre une distance par rapport à tout ce qu'elles représentent et donc par rapport aux pesanteurs sociales.

Le métapoème

Moins ludique que le précédent, peut-être plus difficile, à ne faire que si vous vous sentez déjà suffisamment à l'aise dans les formes poétiques traditionnelles : prenez un poème à forme fixe (par exemple un sonnet en alexandrins rimés, un rondeau, une ballade, un pantoum, etc.). Retenez-en un ou plusieurs éléments choisis comme pertinents : par exemple l'ensemble des rimes, l'ensemble des mots placés à l'incipit de chaque vers, l'ensemble des lettres placées à l'incipit de chaque vers, ou un ensemble sélectionné selon une contrainte précise (le premier mot du premier vers, le second mot du second vers, etc. ou des lettres de chaque vers format une figure géométrique, etc.). L'exercice consiste à récrire le poème en gardant les éléments retenus et en remplaçant tous les autres par des mots de votre choix.

Le jeu du téléphone

Vous connaissez le principe du jeu du téléphone : le premier joueur chuchote à l'oreille de son voisin, de manière à ne pas être entendu par les autres, une phrase que le voisin répète au suivant de la même manière, et ainsi de suite : à la fin, le dernier joueur répète à haute voix ce qu'il a entendu, et qui présente souvent de pittoresques déformations par rapport à la phrase initiale.

Variante :

Noël Arnaud a proposé une variante poétique du téléphone, qui se réalise ainsi :

«Partant d'un poème inconnu de l'assistance, la première personne sollicitée s'attache à l'imiter le plus strictement possible, mot à mot, en usant de synonymes. Cette opération terminée, le poème initial est retiré du jeu et en aucune façon on ne pourra s'y référer. A l'effort d'imitation du deuxième participant, c'est la nouvelle version qui est proposée et qui, ayant fait son office, est ensuite soigneusement cachée au troisième/.../ l'imitateur travaillant toujours sur la dernière transformation du poème, sans que les versions précédentes lui aient été communiquées» (La conquête du monde par l'image, 1942, cité in Oulipo III, vol 1, p. 237).

Cependant, cette méthode de «transformation» du poème semble encore assez timide : il existe des procédés beaucoup plus radicaux, comme le L.S.D. et le S + 7.

Le L.S.D.

Rassurez vos parents : ce manuel ne se propose pas de vous entraîner sur la pente des substances plus ou moins légales. L.S.D.

signifie simplement (!) «Littérature Sémo-Définitionnelle», créée par Marcel Bénabou et Georges Perec à partir d'une idée de Raymond Queneau.

Matériel de base : une phrase quelconque (de préférence brève et simple : elle ne le restera pas longtemps) et un dictionnaire.

A chacun des mots de la phrase, quel qu'il soit (article, verbe, pronom, substantif...), on substitue sa définition dans le dictionnaire : on obtient ainsi une phrase évidemment plus longue que la précédente, et pourvue d'un sens nettement plus problématique. On recommence l'opération sur la nouvelle phrase ainsi obtenue, jusqu'à épuisement du joueur.

Ex. de réalisation : *Oulipo* I, p. 121 (la réécriture d'*El Desdichado*, de Nerval, par Queneau : «Je suis celui qui est plongé dans les ténèbres, celui qui a perdu sa femme et n'a pas contracté de nouveau mariage, celui qui n'est pas consolé, etc»). Cet exercice est susceptible de réalisations plus ambitieuses, qui mettent en jeu le pastiche, la citation vraie ou fausse, etc. (cf. *Oulipo* I, p. 123 à 140) : nous les réservons pour le moment, vous pourrez y revenir quand vous serez plus aguerris.

La méthode S + 7

Comme dans le L.S.D., il s'agit de manipuler un texte déjà existant : on ne va pas, cette fois, lui donner une expansion imprévue, il gardera grosso modo sa longueur d'origine, mais on va transformer son lexique. Par convention, nous décidons que la transformation va porter sur les substantifs (d'où le S du titre), mais vous pouvez aussi bien transformer les adjectifs, les verbes...

Matériel de base : un texte, de préférence choisi parmi les «classiques» de la littérature française (vous comprendrez vite pourquoi), et un dictionnaire.

Procédure : vous prenez le premier substantif du texte, puis, ouvrant votre dictionnaire, vous cherchez le **septième** substantif qui succède à celui que vous venez de sélectionner :

Exemple :   bénéfice *donne* bénitier
                     offre *donne* oiseau, etc.

(Le résultat dépend évidemment du dictionnaire que vous utilisez, mais aussi de votre capacité à tricher avec la consigne : vous pouvez ruser, choisir le **sixième** ou le **huitième** substantif

dans l'ordre du dictionnaire, s'il vous semble plus riche de potentialités que le septième).

Puis vous prenez le second substantif du texte d'origine, vous lui
substituez le septième qui le suit dans le dictionnaire, et ainsi de
suite.

Voici un exemple de S = 7, réalisé par Queneau : le texte-source
n'est pas donné, pour exercer votre perspicacité, mais il ne devrait
pas être trop difficile à deviner !

«La cimaise ayant chaponné tout l'éternueur
se tuba fort dépurative quand la bisaxée fut verdie :
pas un sexué pétrographique morio de mouffette ou de verrat.
Elle alla crocher frange
chez la fraction sa volcanique
La processionnant de lui primer
quelque gramen pour succomber
jusqu'à la salanque nucléaire, etc».

(Vous remarquez que les transformations opérées par Queneau
ne se limitent pas aux substantifs).

A propos de la méthode S + 7, l'inventeur du «téléphone», Noël
Arnaud, remarquait non sans mélancolie :

«Il est certain que (la méthode S + 7), aurait assommé le sens premier
d'un seul coup d'un seul, ce que nous n'obtenons pas au moyen de la
synonymie. La méthode S + 7 est chirurgicale : la méthode synarnony-
mique est plutôt homéopathique». (*Oulipo*, III, I, p. 239).

(Pourquoi synarnonymique ? C'est un mot-valise : synonyme +
Arnaud…).

La chimère

Qu'est-ce qu'une chimère ? Vous connaissez sans doute le sens
courant du terme, qui désigne des rêveries, des imaginations sans
aucun rapport avec la réalité. Littré nous apporte le sens premier :
«Assemblage bizarre de différentes parties d'animaux divers /…/
Monstre qui avait la tête et le poitrail d'un lion, le ventre d'une
chèvre et la queue d'un dragon».

Le principe de la chimère comme exercice est relativement
simple, même si les variations et réalisations peuvent en être assez
sophistiquées : on prend deux textes, d'auteurs différents ; l'un
fournira la syntaxe, l'autre le vocabulaire ; on combine les deux…

Exemple :

• *Texte fournissant la syntaxe*

Une lettre de Madame du Deffand à Voltaire :

«Ne résistez jamais, Monsieur, au désir de m'écrire : vous ne sauriez, vous imaginer le bien que me font vos lettres ; la dernière surtout a produit un effet admirable, elle a chassé les vapeurs dont j'étais obsédée ; il n'y a point d'humeur noire qui puisse tenir à l'éloge que vous faites de votre Sémiramis du Nord, etc.».

• *Texte fournissant le lexique*

Julien Gracq, *La Littérature à l'estomac* :

«Le lecteur colle à l'œuvre, vient combler de seconde en seconde la capacité exacte du moule d'air creusé par sa rapidité vorace, forme avec elle au vent égal des pages tournées ce bloc de vitesse huilée et sans défaillance dont le souvenir, quand la dernière page est venue brutalement «couper les gaz», nous laisse étourdis...».

• *Résultat*

«Ne collez jamais, Monsieur, à l'œuvre de me combler : vous ne sauriez vous creusez la capacité exacte du moule que me font vos rapidités voraces ; la dernière surtout a formé un vent égal, elle a tourné les blocs dont j'étais huilée, il n'y a point de défaillance qui puisse couper les gaz au souvenir que vous faites de votre étourdi de page...».

Variante : même exercice avec un texte-source (qui fournit la syntaxe) et trois textes complémentaires, l'un fournissant les substantifs, le second les verbes, le troisième les adjectifs.

Découpage : on reprend le rasoir

Les cut-ups

Ce titre anglo-saxon pour rappeler que les promoteurs de la technique du cut-up furent le peintre américain Brion Gysin et l'écrivain William Burroughs (auteur notamment du *Festin nu*, du *Métro Blanc*, etc). L'exercice rappelle notre «poème au rasoir», mais en plus élaborée : le joueur peut, par exemple :

– découper une page de texte en quatre, et permuter les quatre éléments

– couper deux pages différentes en deux moitiés, et recoller les moitiés qui ne se correspondent pas

– pratiquer un découpage géométrique (carré, cercle, croix…) sur une page et lire ce qui subsiste

– découper une «fenêtre» dans une page de texte, puis l'élargir progressivement ou la rétrécir en observant les effets de sens, etc.

A noter que, du témoignage même de Brion Gysin, les cut-ups sont plus riches si l'on part d'un matériau de base déjà élaboré (l'exemple qu'il donne est une traduction anglaise des textes de Rimbaud) que si l'on part d'un simple stock de journaux.

Greffes et brisures

A partir de ce même principe du découpage et du collage, on peut imaginer nombre d'exercices, fondés ou non sur un matériau «littéraire» (selon votre goût ou votre humeur du moment), mais ayant pour point commun ces opérations de «décomposition-recomposition». Parmi tous les exemples possibles, retenons-en deux, l'un à partir d'un corpus de «phrases toutes faites», l'autre à partir de vers classiques :

– *Les perverbes*

Si vous êtes maintenant habitué à la pratique des mots-valises, vous n'aurez aucun mal à reconnaître sous ce néologisme la pure et simple *perversion* des honnêtes *proverbes*, que leur inventeur, Harry Mathews, n'a pas voulu attribuer à la sagesse des nations mais au *Savoir des Rois*, c'est ainsi qu'il intitule sa série de «Poèmes à perverbes» (*Oulipo*, III, I, p. 75). Le principe de départ est simple : l'auteur a constitué un stock de proverbes courants, puis il les a découpés en deux (selon une césure grammaticalement possible, et en deux moitiés à peu près égales), ensuite il a procédé à des collages de ces moitiés (en s'imposant toujours la règle de la grammaticalité de l'ensemble), et enfin a combiné ces «perverbes» en des poèmes divers. (Lire *Le Mouvement des Roses*, p. 77, ou *L'Etoile des Araignées*, p. 81).

– *Alexandre au greffoir*

Sous ce titre à la fois guerrier et bucolique se cache un nouvel avatar de l'alexandrin (cf. Jacques Roubaud, *La Vieillesse d'Alexandre*). Selon le principe de l'exercice précédent, Jacques Roubaud et Marcel Bénabou se sont amusés, en premier à constituer, de mémoire, un stock d'«alexandrins familiers» (ça commence par «*Les plus désespérés sont les chants les plus beaux*» et ça finit par

«*La sainte de l'abîme est plus sainte à mes yeux*»), ensuite à les découper régulièrement à l'hémistiche, puis à les recoller. Les résultats sont réjouissants, depuis les monostiques (ou poèmes d'un seul vers) comme :

«*La chair est triste, hélas, et les savants austères*».

ou

«*Une femme qui tombe est toujours la meilleure*».

jusqu'aux plus élaborés comme *Harmonie du Soir* :

«*Voici venir le temps où blanchit la campagne*
Chaque fleur s'évapore et me donne un baiser
Les sons et les parfums tournent dans l'air du soir
Valse mélancolique où Margot a pleuré…». (*Oulipo*, III, 2, p. 203-233).

A vous de jouer, soit en vous fiant à votre mémoire (mais apprend-on encore des vers par cœur ?) soit en piochant dans des anthologies…

Le centon

Pour clôturer ce premier ensemble de «traitements de textes», voici maintenant le centon : nous avons déjà rencontré ce terme, mais décomposé en *Cent Ons*, sous la plume de Jean Queval (voir supra, «le poème au rasoir»).

Le centon est une forme poétique traditionnelle, connue des Romains (des Romains décadents surtout, avouons-le), et représentée au XVIIᵉ siècle, mais depuis bien oubliée. En quoi consiste-t-elle ? Il s'agit de composer un texte (généralement poétique, mais on peut concevoir un centon en prose, et il en existe, nous le verrons) uniquement en réutilisant des vers ou des fragments de vers de textes antérieurs. L'«invention» de l'auteur du centon ne consistera donc pas à créer des mots ou des images nouveaux, mais à agencer entre eux de façon nouvelle des fragments d'autres auteurs.

L'ambition du centon peut être modeste : combiner, en un bref poème (quatrain, épigramme…), quelques vers «classiques» réunis par leurs rimes : en ce sens, *Alexandre au greffoir* est un centon.

Mais le centon peut se proposer beaucoup plus : comme nous l'avons déjà vu dans notre introduction, à propos de l'**intertextua-lité**, certains auteurs contemporains utilisent dans leurs proses des fragments plus ou moins importants de textes antérieurs, en le signalant ou sans le signaler. Perec, dans *La vie Mode d'Emploi*, fait des emprunts à Thomas Mann, René Belletto, Unica Zürn, Shakespeare, Flaubert ; Yak Rivais écrit son roman *Les Demoiselles d'A*, uniquement en utilisant des phrases de romans français classiques.

Le cas de Rivais est un cas-limite, mais par sa virtuosité même, il nous met au défi, nous incite peut-être à «passer à l'acte» nous-mêmes ; en tout cas, il nous interroge profondément sur la nature même de l'acte d'écrire. Car enfin, même si je me crois original, le langage que j'utilise, je ne l'ai pas inventé, j'en ai hérité… Et si je veux véritablement «inventer un langage», je risque de tomber dans l'idiolecte, dans l'incompréhensible, l'incommunicable.

Ces réflexions nous ont entraînés assez loin du simple centon. Au stade du travail où vous en êtes, il ne s'agit pas de vouloir rivaliser avec Perec ou Rivais. Plus modestement, amusez-vous à «fabriquer» un petit poème de votre cru en puisant sans vergogne dans le stock des poètes français les plus consacrés. Si votre poème n'est pas un chef-d'œuvre, il vous aura au moins appris une autre forme de manipulation des textes, et peut-être une autre forme de lecture.

2. Thème et variations

Tous les exercices que nous venons de voir avaient pour point commun de «traiter» un ou plusieurs textes antérieurs, avec des contraintes plus ou moins précises mais qui, toutes, avaient pour fonction de soutenir votre démarche. Ici, nous abordons, de façon plus ambitieuse, une série plus acrobatique : nous partons toujours d'un texte antérieur, mais la consigne laissera plus de marge à votre initiative, à votre fantaisie. Lancez-vous ! Vous allez voir que les premiers exercices vous ont déjà bien débrouillés.

«Thème et variations» : ce titre annonce une structure musicale, mais pour le moment nous n'allons pas l'utiliser comme telle (en revanche, nous retrouverons cette question plus loin, dans le chapitre IV, 1, «Meccano»). Il s'agit plus simplement, à partir d'un thème donné (texte ou image), de produire des énoncés différents les uns des autres, obéissant chacun à un registre spécifique et cohérent.

L'exemple le plus connu est sans doute le livre de Queneau, *Exercices de style*. Trop connu peut-être, pensez-vous ? peut-être l'avez-vous déjà pratiqué au collège ou au lycée ? N'importe : même si vous vous sentez un peu blasé, il faut lire et relire ce chef-d'œuvre de chatoiements rhétoriques, et vous en inspirer. Pour ceux qui y auraient échappé, rappelons-en le principe : à partir d'une anecdote banale (une rencontre dans un autobus puis devant une gare), Queneau compose quatre-vingt-dix-neuf «versions» différentes de l'incident, en changeant de temps grammatical, de registre de langue, de point de vue, etc.

Mais on peut, de la même manière, partir d'une image. Dans son film *Lettre de Sibérie* (1957), Chris Marker projette trois fois une séquence identique, assortie des trois commentaires suivants :

• *Commentaire «favorable»* :

Iakoutsk, capitale de la république socialiste soviétique de Yakoutie, est une ville moderne, où les confortables autobus mis à la disposition de la population croisent sans cesse les puissantes Zym, triomphe de l'automobile soviétique. Dans la joyeuse émulation du travail socialiste, les heureux ouvriers soviétiques, parmi lesquels nous voyons passer un pittoresque représentant des contrées boréales, s'appliquent à faire de la Yakoutie un pays où il fait bon vivre !

• *Commentaire «hostile»* :

Iakoutsk, à la sinistre réputation, est une ville sombre, où tandis que la population s'entasse péniblement dans des autobus rouge sang, les puissants du régime affichent insolemment le luxe de leurs Zym, d'ailleurs coûteuses et inconfortables. Dans la posture des esclaves, les malheureux ouvriers soviétiques, parmi lesquels nous voyons passer un inquiétant Asiate, s'appliquent à un travail bien symbolique : le nivellement par le bas !

• *Commentaire «objectif»* :

A Iakoutsk, où les maisons modernes gagnent petit à petit sur les vieux quartiers sombres, un autobus moins bondé que ceux de Paris aux heures d'affluence, croise une Zym, excellente voiture que sa rareté réserve aux services publics. Avec courage et ténacité, et dans des conditions très dures, les ouvriers soviétiques, parmi lesquels nous voyons passer un Yakoute affligé de strabisme, s'appliquent à embellir leur ville, qui en a besoin... (Chris Marker, *Commentaires, Lettre de Sibérie*, Seuil (1961, p. 57).

Cet exemple comporte deux enseignements : il démonte, de façon humoristique, la prétendue «objectivité» de l'image photographique ou filmée, et, sur le plan rhétorique, il oblige à faire un choix dans une certaine stylistique politique et à le tenir de façon cohérente jusqu'au bout. Nous reviendrons sur l'exploitation que l'on peut en faire (cf. infra IV, 2, «La photo tournante»).

Réécritures

Jean Guénot, dans son ouvrage *Ecrire, Guide pratique de l'écrivain*, (panorama très stimulant de la condition d'écrivain, depuis l'angoisse de la page blanche jusqu'à la signature du contrat d'édition, en passant par le choix de la machine à écrire ou l'éventualité de s'éditer soi-même) propose des exercices qui sont autant de variations sur des textes antérieurs, de réécritures. Il incite l'apprenti écrivain à copier.

«Doutez-vous de savoir écrire ? (…) La nouveauté est une paralysie avec laquelle il va falloir apprendre à composer. Que vous vous pensiez incapable d'écrire ou indigne d'entreprendre un livre, le remède est le même : paraphrasez (…) Partir d'un livre vous embarrasse ? Partez d'un film. D'un fait divers. Allez au Louvre, vous y verrez des peintres qui copient des chefs-d'œuvre pour se faire la main. Tout a toujours été dit, pour peu que l'on ait lu (…) Copiez donc à votre mode, avec vos mœurs et selon votre démarche (p. 56-57).

Fort de cette justification de la copie, qui permet de passer «de la panne au décollage», Guénot offre à son lecteur une série d'exercices partant de romans ou de nouvelles classiques, et dont l'objectif est de transformer, selon le cas :

– *La longueur* du texte-source : la première partie de *Bel-Ami*, de Maupassant« il y a là environ deux cents pages à reprendre en lecture au sabre et à découper afin d'y tailler la matière d'un feuilleton de quatre épisodes de six feuillets chacun. Faites que tout le texte retenu et mis à la longueur soit de Maupassant».(p. 53).

– *Le registre* du texte-source : «Dialogue écrit d'un enquêteur de police désirant s'informer sur la pension Vauquer, au début du *Père Goriot*, de Balzac, six feuillets» (p 371).

– *La focalisation* du texte-source : c'est là qu'on trouve les exemples les plus savoureux, comme *La Vénus d'Ille* de Mérimée raconté du point de vue de la statue, ou *Le Petit Fût* de Maupassant raconté par … le fût ! (p. 6)

– *L'époque* du texte-source : «A partir de *Bajazet*, de Racine, construisez la charpente climaxique d'un film situé en France pendant l'Occupation». (p. 358)

– *L'époque et le milieu* du texte-source : «*Cinna* de Pierre Corneille : reprenez l'intrigue et disposez-la en dix chapitres d'un roman d'espionnage industriel situé dans le cadre d'une rivalité d'affaires entre multinationales : utilisez les métaphores de la gestion et de l'informatique». (p. 90)

Le secret de l'efficacité de ces exercices réside, nous semble-t-il, dans leur caractère à la fois ludique et sécurisant : l'apprenti écrivain se dit qu'il n'a rien à inventer, puisque Balzac ou Mérimée l'ont fait pour lui, qu'il est porté par eux ; mais en fait, le changement d'énonciateur, d'époque, de point de vue, etc. l'amènent bien à innover, par sa syntaxe, ses choix lexicaux, etc. sans qu'il soit paralysé par l'obligation d'«inventer».

Le texte inachevé

L'inachèvement d'un texte peut n'être pas un défaut : qui juge boiteuse la *Symphonie Inachevée* de Schubert ? Dans certains cas, ce peut même être un facteur supplémentaire d'intérêt pour le lecteur, parfois même inventé par l'éditeur ! C'est le cas célèbre des *Iambes* de Chénier, que certaines éditions du début du XIXe siècle arrêtaient dramatiquement sur les vers :

«... *Sur mes lèvres soudain va suspendre la rime,
Peut-être est-ce bientôt mon tour*»

en affirmant en note que le poète avait été appelé pour l'échafaud précisément à ce moment...

Reste que nombreux sont les textes inachevés, pour les raisons les plus diverses : mort de l'auteur, désintérêt pour l'œuvre en cours, choix d'un autre sujet... Stendhal par exemple n'a pas terminé *Lucien Leuwen*: il estimait que la troisième partie qu'il avait primitivement prévue, et qui comportait un dépaysement complet, un jeu de nouveaux personnages, etc. ne serait pas tolérée par le lecteur.

D'autres textes semblent rester en suspens : «achevés» ou non aux yeux de l'auteur, ils laissent subsister pour le lecteur une irritante énigme : c'est le cas par exemple des *Aventures d'Arthur Gordon Pym*, d'Edgar Poe, que Jules Verne a tenté plus ou moins heureusement de «colmater» avec *Le Sphinx des Glaces*, avant que Jean Ricardou n'en donne un commentaire aussi poétique que critique dans «Le caractère singulier de cette eau» (in *Problèmes du Nouveau Roman*, Seuil, 1967).

Il peut être tentant, pour l'apprenti écrivain, de se risquer lui aussi à «finir» un texte inachevé ou qu'il juge tel. Ou, sans vouloir «finir», on peut aussi se divertir à ajouter plus simplement un chapitre, un épisode, une annexe, à un livre connu : s'il est permis de se citer soi-même, l'une de nous a augmenté d'un chapitre *Les Confessions du Chevalier d'Industrie Felix Krull* [1], de Thomas Mann.

Si cet exercice vous semble trop difficile, réservez-le pour plus tard ; vous pouvez vous y entraîner, soit à partir d'un ouvrage réellement inachevé, soit en ne lisant pas le dernier chapitre d'une œuvre et en la complétant. Jean Guénot propose une variante intéressante de cet exercice, à partir des dramatiques de la télévision :

«*Procurez-vous un numéro d'un de ces magazines qui donnent essentiellement les programmes et qui résument aussi le début pour ceux qui ont allumé en cours de route /.../ Bâtissez à partir du programme. Puis regardez la pièce. Ça vous laisse une semaine environ pour charpenter, et ça a l'avantage de vous contraindre à travailler vite*». (*Ecrire*, p. 378).

Par rapport aux réécritures (cf. supra, II, 2) qui constituent la majorité des exercices de Guénot, celui-ci apparemment fait plus appel à l'imagination : en fait, il est plutôt de type structuraliste, car avec un peu d'habitude, on connaît les situations de base et on est capable de prévoir leurs développements. Nous approfondirons cette piste dans le chapitre IV.

L'art du blanc

Dans le joli film de Woody Allen, *La Rose Pourpre du Caire*, le héros (personnage d'un film fictif, échappé provisoirement à son écran) embrasse chastement l'héroïne, puis, comme le baiser se prolonge, il s'inquiète : «Qu'est-ce qui est arrivé au fondu-en-chaîné ?» C'est que, dans les films dans la période à laquelle il est censé appartenir (les années trente), la censure veille, et un baiser est vite estompé par un opportun *fading-out*.

---

1. Geneviève Mouillaud et Anne Roche, *La Cause des Oies*, Lettres Nouvelles/ Maurice Nadeau, 1977).

De nos jours, il est plus rare que la censure intervienne ; dans les livres, les mots les plus crus ne sont plus remplacés par leur initiale suivie de trois points. Mais la littérature est pleine de blancs, plus ou moins volontaires de la part de l'auteur. (Nous n'envisageons pas ici l'intervention directe de la censure comme institution sociale, mais de la censure au sens freudien, c'est-à-dire l'intériorisation par l'auteur des interdits sociaux). Ces blancs peuvent constituer un effet esthétique : l'un des plus célèbres est sans doute la ligne de points qui traverse la nouvelle de Kleist, *La Marquise d'O.*, ligne qui jusqu'à la fin laisse le lecteur aussi perplexe que l'héroïne elle-même (elle a échappé au viol des soldats russes, certes, mais que s'est-il donc passé pour que, veuve et parfaitement vertueuse, elle se retrouve enceinte ?).

L'exemple de Kleist est caractéristique d'une période où tout ce qui touchait à la sexualité ne pouvait être exprimé que de façon détournée. Mais le blanc peut jouer un rôle majeur dans les textes les plus contemporains : Perec - encore lui ! -, dans un texte assez différent des exercices oulipiens que nous lui avons empruntés jusqu'ici, a fait du blanc, et du signe typographique de la coupure : (…), le point central de son *W ou le souvenir d'enfance* [1]. Ce livre complexe est l'enchevêtrement de deux récits, l'un imaginaire, «reconstitution d'un fantasme enfantin évoquant une cité régie par l'idéal olympique», l'autre autobiographique, «récit fragmentaire d'une vie d'enfant pendant la guerre, fait de bribes éparses, d'absences, d'oublis, de doutes, d'hypothèses, d'anecdotes maigres». Or, si le récit autobiographique se poursuit, vaille que vaille, de façon à peu près homogène, du début à la fin, le récit imaginaire, après l'amorce d'un palpitant roman d'aventures à la Jules Verne, avorte, ou semble avorter : on aboutit à la page blanche, marquée du signe de la coupure (…), puis les personnages s'engloutissent dans un naufrage qui reste énigmatique, et c'est, apparemment, une autre histoire qui redémarre. Ce dispositif, qui peut sembler inutilement sophistiqué,est en fait le seul moyen que l'adulte Perec a su mettre au point pour parler de son enfance disloquée par la guerre et la perte de son père, tué au front, puis de sa mère, morte à Auschwitz. Au lecteur de reconstituer la démarche. Au lecteur encore de compléter *Je me souviens* : dans

---

1. Denoël, 1975.

ce livre qui se présente comme une suite de souvenirs, syntaxique-
ment identiques dans leur début («Je me souviens de...» ou
«...que»), et constituant l'«autobiographie d'une génération» plus
que celle d'un individu, Perec laisse à la fin une dizaine de pages
blanches pour que le lecteur les remplisse de ses propres «Je me
souviens».

Faut-il noircir les blancs ? La question n'est pas simple : si le
blanc, dans tous les cas, fait appel à la collaboration du lecteur, qui
peut rêver, imaginer, échafauder des hypothèses... il n'est pas
certain qu'il faille en réduire la polysémie en une formulation
stable, si adroite qu'elle puisse être. Notre proposition sera donc à
la fois plus respectueuse et plus aventureuse : nous respectons les
blancs (de Kleist, de Perec...) en ce sens que nous n'y touchons
pas, nous n'essayons pas de les «traduire» en mots, mais nous
essayons de les imiter. Or, imiter un blanc, c'est le fin du fin !

Exercice :

A partir d'une histoire (imaginée par vous ou empruntée à un fait
divers, à une nouvelle...) exercez-vous à introduire un BLANC qui,
par son emplacement stratégique, puisse modifier l'interprétation que
le lecteur a de l'histoire, du comportement des personnages, etc.

III. Stimuli pour l'imaginaire

Ce chapitre comporte beaucoup moins de contraintes formelles que les deux précédents, il vous propose plutôt des soutiens pour inventer, imaginer, et d'abord exercer votre imaginaire à propos des objets quotidiens, de vous-même, de vos lieux de vie, de travail, de loisir. Comme le dit Novalis dans *Fragments* :

«Si nous avions une Imaginatique, comme nous avons une Logique, l'art d'inventer serait découvert».

Presque tous les fragments de Novalis sont d'extraordinaires inventions. Plus proche de nous, Gianni Rodari, dans *Grammaire de l'Imagination*, expose un certain nombre de manières d'«inventer des histoires pour les enfants et d'aider les enfants à s'inventer leurs histoires tout seuls». Ecoutons-le :

«Ces objets qui dormaient paisiblement chacun dans leur coin sont comme rappelés à la vie, contraints à réagir, à entrer en rapport les uns avec les autres... De même un mot jeté au hasard de l'esprit produit des ondes en surface et en profondeur, provoque une série infinie de réactions en chaîne, entraînant dans sa chute sons et images, analogies et souvenirs, significations et rêves...».

1. Exercer l'imaginaire

A la manière de Ponge

Tout le monde connaît les petits textes du *Parti Pris des Choses*, consacrés chacun à un objet des plus courants, même triviaux comme : le pain, le papillon, le galet, le mollusque, la crevette, l'orange, le cageot, la bougie ; et dont l'auteur dit lui-même dans *Méthodes* [1] :

---

1. NRF, Idées, p. 11.

«Une sorte d'écrits (nouveaux) qui se situant à peu près entre les deux genres : définition et description emprunterait au premier son infaillibilité, son indubitabilité, sa brièveté aussi, au second son respect de l'aspect sensoriel des choses».

La cigarette nous aide à mieux percevoir encore de quoi il s'agit :

«Rendons d'abord l'atmosphère à la fois brumeuse et sèche, échevelée, où la cigarette est toujours posée de travers depuis que continûment elle la crée.

Puis sa personne : une petite torche beaucoup moins lumineuse que parfumée, d'où se détachent et choient selon un rythme à déterminer un nombre calculable de petites masses de cendres.

Sa passion enfin : ce bouton embrasé, desquamant en pellicules argentées, qu'un manchon immédiat formé des plus récentes entoure».

Exercice :

Sortez un objet de votre sac. Dans un premier temps, jetez sur le papier tout ce qui vous vient à propos de cet objet, ses qualifications, utilisations, symboles... ce qu'il vous rappelle. Puis organisez ces différentes notations en un texte qui sera construit comme une devinette.

Métamorphoses

Toutes les mythologies sont remplies de récits de métamorphoses, que ce soit en oiseaux, en arbres, en fleurs, sources, rivières, poissons, fontaines, îles, rochers, montagnes, statues. Pour la mythologie grecque, Pierre Grimal cite plus de cent exemples. Plus près de nous, nombreux sont les exemples de métamorphoses dans la littérature de fantastique ou de fiction, symbole d'une aspiration de l'homme à l'unicité, ou à la fusion dans les éléments actifs de la nature.

Citons ce début de Le Clézio dans *Le chemin* [1] :

«Maintenant tu habites à l'intérieur de l'arbre et tu as de longues racines qui sont enfouies dans la terre sèche. C'est à cause des racines que tu ne peux pas bouger... C'est bien de boire l'eau de cette façon : tu

---

1. Gallimard.

la prends sans te presser avec tes pieds poreux, et elle monte le long de
tes veines secrètes à l'intérieur de ton ventre».

(remarquez le vocabulaire de l'arbre mêlé à celui de l'Humain).

Je vous propose donc de démarrer de la même manière que ce
texte, après avoir choisi le type de métamorphose, d'imaginer
qu'un Dieu païen vous métamorphose dans votre sommeil et de
raconter avec précision les étapes du passage de la condition
humaine à la condition des éléments ou forces de la nature.
Essayez de ressentir le plus finement possible comment s'opère la
transformation des fonctions proprement humaines: respiration,
parole, mouvements, sang, pensée...

Variante :

Regardez un objet. Essayez de voir autre chose, par exemple
comme Rimbaud, une mosquée à la place d'une usine, ou comme
Michaux dans *Intervention*, mettant un chameau à Honfleur, et
puis intégrez tous les objets nécessaires à cette «vision».

Ou comme le personnage de *La Métamorphose* de Kafka,
imaginez que vous vous réveillez un matin et prenez petit à petit
conscience de votre changement en un cafard ou autre animal plus
ou moins répugnant.

Villes invisibles

C'est Italo Calvino qui me fournit le point de départ de ce travail
avec son recueil *Les Villes Invisibles,* série de petits textes d'une
à deux pages intitulés : «*les villes et la mémoire*», «*les villes et le
désir*», «*les villes et les signes*», «*les villes effilées*», «*les villes et
les échanges*», «*les villes et le regard*», «*les villes et le nom*», «*les
villes et les morts*», «*les villes et le ciel*», «*les villes continues*»,
«*les villes cachées*», chaque titre correspondant à 5 textes disper-
sés à l'intérieur de 9 groupements. Voici un exemple :

«Phillide est un espace où l'on trace des parcours entre des points
suspendus dans le vide... Tu cours après non pas ce qui se trouve au-
dehors mais au-dedans de tes yeux, enseveli, effacé : si un portique
continue de te paraître plus joli qu'un autre, c'est parce que c'est celui où
passait voici trente ans une jeune fille aux manches larges et brodées...
Nombreuses sont les villes comme Phillide qui se soustraient aux re-
gards, sauf quand tu les prends par surprise».

Variante :

A la manière d'Henri Michaux, je vous propose de prendre comme modèle *Je vous écris d'un pays lointain* [1], et d'écrire la vision du pays que vous portez dans vos rêves, un pays où peuvent s'accomplir toutes les inventions. En voici quelques passages :

«Nous n'avons ici, dit-elle, qu'un soleil par mois, et pour peu de temps...

«Quand on marche dans la campagne, il arrive que l'on rencontre sur son chemin des masses considérables...

«Dans la nuit le bétail pousse de grands mugissements, longs et flûtés pour finir. On a de la compassion, mais que faire ?...

« Il y a constamment, lui dit-elle encore, des lions dans le village, qui se promènent sans gêne aucune... Mais s'ils voient courir devant eux une jeune fille, ils ne veulent pas excuser son émoi. Non ! aussitôt, ils la dévorent».

Un début. Une fin

Enfin je vous proposerai un exercice que j'ai testé comme éminemment formateur pour exercer son imagination. Il s'agit à partir d'un début et d'un fin déterminés d'imaginer le développement central. Et pour cela je vous propose les extraits suivants :

Ce n'est pas un roman : ce que je raconte est ordinaire, oui madame, je suis un type ordinaire, j'étais un type ordinaire, un bon peintre en lettres. Je savais faire de belles lettres, de toutes les formes, sur toutes les surfaces, de toutes les couleurs...

...

Dommage Louis, 445721 Fleury Mérogis le 30.8.86.

———

Il est 6 heures du soir, mon verre est aux trois quarts vide, et la nuit commence...

...

un roman organisé, réglé, bien calculé. Ce roman.

———

Dès que tu fermes les yeux, l'aventure du sommeil commence...

...

tu as peur, tu attends. Tu attends Place Clichy que la pluie cesse de tomber...

———

1. Dans *Plume*, cité dans le *Michaux* de Seghers (NDLA).

―――――

Ah, dit-elle, je n'y arriverai pas, je crois que je n'y arriverai pas...

...

L'hiver serait long, il ne faisait que commencer.

―――――

Je suis un homme ridicule. Ils me traitent de fou à présent...

...

Quant à la petite fille, je l'ai retrouvée... Et j'irai de l'avant, j'irai, j'irai.

―――――

Que pensez-vous de l'Allemagne au printemps madame ? C'est charmant à cette saison-là, vous ne trouvez pas ?...

...

Et je suis partie. Les choses sont comme ça quand on voyage, nicht wahr, madame ?

2. Mentir vrai

Maintenant, nous allons jouer à «Mentir vrai» et apprendre à doser vérité et mensonge, parce qu'écrire c'est à la fois inventer et s'appuyer sur ce qu'on voit, connaît, lit, éprouve.

Biographie imaginaire

Dans le chapitre VI je vous proposerai d'écrire votre autobiographie réelle, mais pour l'instant il s'agit de vous en inventer une. Vous pouvez la situer dans la période historique de votre choix ; vous pouvez décider de détourner des éléments réels de votre biographie ou au contraire de vous improviser une vie totalement différente, voire opposée ; vous pouvez aussi osciller de l'une à l'autre des solutions en piochant tantôt dans le réel, tantôt dans le fictif... le jeu consiste ensuite à se relire et à chercher les liens entre réalité et fiction.

Variante :

J'emprunte à Philippe Lejeune qui a consacré trois livres à l'autobiographie l'idée de cette consigne : «*Décrivez-vous comme un plat à déguster, donnez-en la recette*».

Photos de Famille

Vous avez tous dans vos familles, un album, de vieilles photos de gens que vous avez peu ou pas connus, dont vous avez entendu parler ; certaines vous retiennent, vous touchent, vous ne savez pas pourquoi.

Roland Barthes nomme «Punctum» cette flèche, cette blessure que nous font certains détails de la photo et qu'il oppose au «Studium», «sorte d'investissement culturel». (La Chambre Claire, éd. Gallimard-Cahiers du Cinéma, 1980).

Choisissez donc une de ces photos qui vous «blesse» sans trop savoir pourquoi, et essayez de faire revivre la personne ou le décor en décrivant :

– Ce que le *«punctum»* vous dit de la personne, du lieu.

– Ce que vous pouvez en imaginer à travers les récits familiaux, les vieux échos qu'il réveille en vous de séances de «photos» sorties des tiroirs quand vous étiez enfant.

– Comment vous le percevez relié à vous dans une chaîne historique et sociologique, comment il conduit à vous,

– A quelle méditation sur le «ça a été», «ce ne sera plus», prononçons le mot, sur le temps et la mort, cela vous conduit tranquillement.

Encore deux recommandations : ne vous préoccupez pas de vérité tant il est vrai que la photo est à la fois vérité et fiction. Et j'ajoute «c'est la photo qui vous bl*esse* qu'il faut choisir, et vous créer un *lien* avec elle».

3. Pratiquer la libre association

Et maintenant je vous propose de vous mettre «en roue libre» (vous connaissez cette pratique à vélo si excitante et un peu dangereuse, mais d'un danger que chacun ici dosera et évaluera), en faisant :

Des sutures

Il y a un grand plaisir à tenter la gageure de réunir des textes de provenances diverses et que rien ne réunit que le choix que vous en avez fait. Il y a à parier que dans ce cas votre choix est signifiant d'un «lien» obscur, sous-jacent, à faire émerger par les textes de liaison que vous allez écrire et qui réunira ces morceaux dans une création qui vous appartiendra. C'est atteindre le summum de l'idée que nous avançons ici, que nos écrits sont en fait «soubassés» par toute la littérature existante à notre connaissance.

Vous allez donc choisir dans votre bibliothèque au hasard quelques (3-4, à 7-8 selon votre courage) textes qui vous parlent particulièrement. Puis après les avoir recopiés et lus plusieurs fois, vous écrirez les textes de liaison qui les réuniront. C'est un patchwork en somme.

Vous pouvez faire la même chose avec de textes de facture plutôt poétique.

Variante :

Ici, c'est vous qui écrirez de petits textes dont le prétexte sera fourni par le hasard : faites une promenade-campagne ou ville ou lieu de travail, ou lieu social assez codé : église, hôpital, café, poste, etc... Vous allez rencontrer des objets peut-être très triviaux, des graffiti, des panneaux imprimés... Ecrivez sur chacun un court texte selon ce qu'il vous évoque, puis ramenez cette moisson et cherchez à relier ces différents textes par de l'infratexte. C'est une sorte de dérive puisqu'il s'agit de ramasser des morceaux échappés du quotidien, non nobles, des débris, tout en vous demandant ce que cette bribe a à vous dire.

C'est aussi un travail sur la métaphore car c'est elle qui exprime le mieux le désir d'unir, d'unifier : entre la *bouche* et la *rose* il y a une part de communauté, mais subsiste cette paroi indépassable : une rose n'est pas une bouche.

Ainsi que le dit Michel Deguy réfléchissant sur la poésie :

«La condition de l'homme-parlant est essentiellement métaphorique, sa vie est une métaphore de sa vérité. Etre séparé de l'Eden, non-lieu de la coïncidence primitive, c'est en être séparé par le «comme». Et le symbole est réel, est la réalité le langage ne distingue pas entre sens propre et sens premier, par conséquent il ne distingue pas non plus entre le réel et l'imaginaire...»

A la manière de Claude Simon

Après avoir dans ses premières œuvres cherché un passé qui sans cesse se refuse, Claude Simon explique en prenant pour exemple Stendhal :

«Stendhal essayait de rédiger sa *Vie d'Henri Brulard*. Il entreprit de raconter avec le plus d'exactitude possible son passage du col de Saint Bernard et il arrive ceci : il se rend compte tout à coup qu'il décrit non pas ce qu'il a lui-même «*vécu, mais une gravure de cet événement qu'il a vue depuis et qui, dit-il, a pris la place de la réalité.*» *Voilà*. Nous écrivons toujours quelque chose qui a pris la place de la réalité et qui l'occupe dans notre cerveau».

C'est maintenant le type d'association que je vous propose : non pas seulement une association guidée par le sens, mais par les mots et leur matérialité. Ainsi dans ces extraits des «Corps Conducteurs» :

«*Au dessus de l'inscription et à l'aide de la même peinture blanche a été tracée une CROIX dont les bras laissent pendre également des rigoles de sang blanc*»

et immédiatement après :

«*Il a retiré son casque et le tient au creux de son bras replié dont l'index tendu est pointé en direction d'un CRUCIFIX que son autre main élève dans le ciel vert*»

un peu plus loin :

«*Quelques hommes et quelques femmes à demi nus joignent les mains, inclinent la tête, le dos COURBE ou mettant un genou à terre*»

et :

«*Le grand nègre est maintenant COURBE en deux*»

et encore :

«*LA CROIX que la main gantée d'acier montre aux sauvages*»

et phrase suivante :

«*L'ombre CRUCIFORME de l'avion se déplace rapidement sur une surface pelucheuse ou plutôt crépue, d'un vert uniforme*».

Comme on le voit, c'est une narration qui rebondit, évoquant d'autres tableaux, imaginant des scènes, des sensations, des conversations, le tout lié par la seule spontanéité créatrice du parlant. Il n'analyse pas ni ne juge : il les entrelace par analogies, contrastes, associations. La technique est proche de celle du cinéma : découpages rapides, ralenti, freeze, fondu, zoom. «Souvent comme dans *«La Chevelure de Bérénice»* il y a un élément-lien qui court de l'un à l'autre des tableaux, pas seulement un mot, mais une couleur, une forme géométrique». (Tom Bishop à propos de Simon au Colloque de Cerisy). Car, cite Claude Simon, reprenant Lacan :

«Le mot n'est pas seulement signe, mais nœud de signification.»

Exercice :

Je vous propose donc de laisser flotter votre attention et d'écrire selon le principe suivant : partir d'un élément, puis un autre arrive, et à son tour devient fertilisant.

Partez d'un tableau, d'une statue ou d'une scène dans la rue, puis des rencontres, des lignes, des inscriptions vont venir s'y agglutiner, appelés par le tableau de départ.

Concrètement, laissez-vous baigner par l'atmosphère du lieu, puis accrochez-vous à votre point de départ et écrivez sans autre souci que de l'évoquer, et chaque fois que cette scène, ce lieu évoqué, cet événement en appelle un autre, trouvez le moyen de manifester le lien qui unit chaque séquence à la précédente par une image semblable, une objet-lien, association ou contraste, et poursuivez tant que vous le pouvez ce jeu d'associations.

---

4. Tohu-bohu

Dans «La loterie à Babylone», Borges imagine un univers dont les destins sont régis par un aléatoire total : «Comme tous les hommes de Babylone, j'ai été proconsul ; comme eux tous, esclave ; j'ai connu comme eux tous l'omnipotence, l'opprobre, les prisons». (*Fictions*, Folio, p. 61). Cette incertitude s'étend à tous les domaines : l'histoire du pays est mêlée de fictions, les scribes prêtent serment d'omettre et d'interpoler en copiant, chaque exemplaire d'un même livre comporte une variante…

Cet univers de mélange, d'incertitude, d'inversion des hiérarchies, peut servir d'emblème à notre rubrique «Tohu-bohu», de même que les coutumes carnavalesques (attestées dans l'Antiquité, au Moyen-Age, et de nos jours encore dans certaines sociétés rurales), où les hiérarchies sont bousculées, les ordres mis en désordre.

Comme nous l'avons déjà vu depuis le début de ce chapitre, ce qui est proposé ici, ce sont moins des exercices au sens strict que des amorces : amorces de réflexion et de rêverie, puisées dans l'œuvre d'écrivains que l'on peut appeler «baroques», modèles, sources d'inspiration, à copier d'abord, mais en figures de plus en plus libres.

Inversion

Dans les périodes de censure, les écrivains usent de figures inversant la réalité, pour dénoncer un état de faits et/ou proposer un meilleur fonctionnement. C'est ainsi que Swift, l'auteur des *Voyages de Gulliver*, fait la satire des mœurs de son temps en peignant un homme chez des êtres minuscules, puis chez des géants, puis - c'est l'épisode le moins connu - dans une île où les chevaux sont les maîtres tandis que les humains - hirsutes et barbares - leur servent d'animaux de trait et d'esclaves. Le même Swift, dans *Modeste Proposition*, suggère de résoudre le problème de la pauvreté en… mangeant les enfants des pauvres : cela réduira les charges de ces derniers, leur procurera quelques ressources, et donnera d'excellents rôtis à ceux qui peuvent se les offrir. Cet éloge du cannibalisme, qui n'est évidemment pas à prendre au premier degré, est une attaque plus efficace contre la brutalité du capitalisme primitif en Angleterre qu'un sérieux traité ou un ouvrage bien-pensant. Le XVIIIe siècle en général a été fertile en textes à renversement : ne citons que Marivaux, *L'Ile de la Raison* (île dans laquelle ce sont les femmes qui font la cour aux hommes, ce qui est bien naturel, car les hommes, étant forts, peuvent plus facilement résister et donc la vertu règne…) ou *L'Ile des Esclaves* (où les maîtres deviennent serviteurs et réciproquement).

Exercice

A partir d'une situation de la vie quotidienne (observée par vous, lue dans le journal, etc.), essayez de permuter les relations de pouvoir entre les personnages en jeu.

Ce concept de renversement, d'inversion (qui va évidemment plus loin, vous le sentez, qu'une simple technique formelle), on le trouve fréquemment dans les histoires de science-fiction, soit dans une dimension satirique (comme chez Swift), soit dans une dimension fantastique, soit les deux. Citons par exemple la très belle nouvelle de William Tenn, *La Ruée vers l'Est* [1] : l'auteur imagine un univers parallèle, dans lequel les États-Unis sont dominés par les différentes races indiennes, domination cruelle et despotique, tandis que les Blancs, parqués dans des réserves, méprisés, réduits à la misère, végètent... A la fin de la nouvelle, un jeune Blanc courageux, à la tête d'une petite poignée d'hommes et de femmes décidés à tout, s'embarque sur trois grosses barques à voiles, en direction de l'Est, vers la mythique Europe, où, disent les légendes de leurs ancêtres, les Blancs ont le droit de vivre libres et égaux des peuples des autres couleurs... De façon générale, les textes de science-fiction procèdent, soit par grossissement caricatural de tel ou tel trait du monde contemporain, soit par renversement des relations entre les éléments habituels du même monde. D'où nous pouvons tirer un exercice.

Exercice

Le monde a été ravagé par une catastrophe quelconque (c'est la situation de base d'une forte majorité de ces textes). Vous faites partie des quelques survivants. Essayez d'imaginer l'univers dans lequel vous devez vivre désormais, en opérant, sur le monde que vous connaissez aujourd'hui, des additions, soustractions, exagérations, inversions...

Variante :

Si vous préférez raconter la catastrophe proprement dite, vous trouverez des consignes dans le chapitre V, exercice «Dérèglement».

Borges, auquel nous avons emprunté l'emblème de cette rubrique, est un des auteurs qui a le plus pratiqué cette stratégie de la perturbation. Au-delà des péripéties diverses et aventureuses de ses fictions, on peut repérer un ressort commun, que nous définirons comme une sorte d'indécidabilité : l'inquisiteur et l'hérétique qu'il fait brûler sont une seule et même personne (*Les Théolo-*

---

1. In *Histoires de fin du Monde*, Livre de Poche, 1974.

giens), l'Indienne blonde offre à l'Anglaise exilée en Argentine «un reflet monstrueux de son propre destin» (*Le Guerrier et la Captive*), le Minotaure attend sa délivrance - et sa mort- d'un rédempteur qui lui ressemble (*La Demeure d'Astérion*), le rêveur des *Ruines circulaires* est rêvé par un autre, le délateur de la *Forme de l'Épée* se dénonce lui-même, etc. Dans cet univers en miroir, l'un des facteurs de l'incertitude, c'est le TEMPS : le passé n'est pas irrévocable, puisqu'un même homme meurt en héros en 1904 et en lâche en 1946 (*L'Autre Mort*), il est tout aussi fourmillant de possibilités que le futur, lequel est naturellement aléatoire : le savant qui va être assassiné prévoit que son visiteur respectueux peut, dans un des futurs possibles, être son ennemi (*Le Jardin aux sentiers qui bifurquent*).

Imiter Borges est redoutable : on risque de se retrouver prisonnier dans un des labyrinthes de *La Bibliothèque de Babel*. Aussi allons-nous interposer, entre lui et nous, l'écran protecteur d'un autre écrivain latino-américain, qui n'est certes pas un «imitateur» de Borges, mais qui, dans certaines de ses nouvelles, a pratiqué un type de schéma analogue : Julio Cortazar. Résumons brièvement quatre de ses histoires, tirées du recueil *Les Armes Secrètes* : à vous ensuite de les analyser et de les utiliser.

– *La nuit face au ciel* : un jeune homme est grièvement blessé dans un accident de moto. A l'hôpital, il délire et se voit dans le Mexique ancien; victime désignée d'un sacrifice rituel ; il se réveille plusieurs fois et revient au «réel», l'hôpital ; mais, à la fin de la nouvelle, le sacrifice mexicain est devenu la réalité, et l'hôpital est le rêve, la seule certitude étant la mort qui approche.

– *Axolotl* : histoire de l'homme qui va voir les axolotls à l'aquarium du Jardin des Plantes, et qui devient un axolotl, cependant qu'un être humain semblable à lui s'éloigne de l'aquarium.

– *La Lointaine* : Alina, riche jeune bourgeoise de Buenos-Aires, est hantée par l'idée qu'elle a un double malheureux, mendiante à Budapest. En voyage de noces, elle décide son mari à aller à Budapest. Sur un pont, comme dans son fantasme, elle croise une femme en haillons, elles s'étreignent, puis se séparent, et Alina regarde s'éloigner une femme élégante qui porte son tailleur bleu, tandis qu'elle sent la neige entrer dans ses souliers percés...

– *Continuité des Parcs* : Un homme lit un livre passionnant :

dans la forêt, un couple se retrouve, décide d'assassiner un tiers qui les gêne. L'assassin pénètre dans la maison de la future victime, et s'approche de l'homme en train de lire...

Ces brefs résumés suffisent à faire apparaître un fonctionnement : *Axolotl* et *La Lointaine* jouent sur la permutation de deux personnages, *La nuit face au ciel* et *Continuité des Parcs* sur la permutation du rêve (de la fiction) et de la réalité. Ce second schéma est relativement banal (combien d'histoires n'avons-nous pas lues, qui se terminent par «c'était un rêve !» ou même par «Etait-ce un rêve ?») mais vous voyez avec quelle virtuosité, surtout dans *Continuité des Parcs*, Cortazar l'a traité. Aussi est-il peut-être plus facile de s'inspirer du premier :

Exercice

Imaginez (sur le modèle d'*Axolotl* ou de *La Lointaine*) une situation à deux personnages, dont les statuts sont foncièrement différents (statut social, biologique...) : permutez les situations, en laissant au personnage qui était d'abord privilégié la conscience de ce qu'il a perdu. Essayez d'imaginer le plus de conséquences possible.

Langages imaginaires

Dans *Le Rapport de Brodie*, de Borges, un missionnaire du début du XIXᵉ siècle découvre une tribu primitive, les Yahous, dont il décrit le langage en ces termes :

«Chaque mot monosyllabique correspond à une idée générale qui se définit par le contexte et par la mimique. Le mot nrz, *par exemple, suggère l'idée de dispersion ou de taches : il peut signifier le ciel étoilé, un léopard, un vol d'oiseaux, la variole, l'éclaboussure, l'éparpillement ou la fuite qui suit une défaite. Hrl, par contre, indique ce qui est serré ou dense ; il peut signifier la tribu, un tronc d'arbre, une pierre, un tas de pierres, le fait de les empiler, la réunion des quatre sorciers, l'union charnelle et un bois».*

La belle langue que le Yahou, dirait Monsieur Jourdain ! Tant de significations différentes pour un seul mot ! Le missionnaire ne manque pas de s'ébahir devant «la puissance d'abstraction qu'exige une telle langue». On voit bien en effet, par-delà l'extrême diversité des significations concrètes, le concept abstrait qui les rassemble. Les Yahous n'ont apparemment aucune difficulté à se comprendre entre eux : Brodie, lui, peine, d'autant plus que «prononcé d'une autre façon ou avec une autre expression, chaque mot peut vouloir dire son contraire» (où l'on voit que Freud, dans *L'inquiétante étrangeté*, avait nettement pressenti le langage Yahou, et où nous retrouvons nos stratégies de renversement).

Nous n'emprunterons pas d'exercice au *Rapport de Brodie*, mais plutôt un début de réflexion sur la compréhension d'un langage pas forcément «imaginaire» mais «personnel», d'un idiolecte, les exemples étant plutôt tirés de Bichsel et de Tardieu.

Dans «Vous avez le bonjour de Yodok» [1], Peter Bichsel raconte l'histoire du grand'père qui parle tout le temps d'un certain «oncle Yodok», dont on soupçonne assez vite qu'il est mythique. Peu à peu, «Yodok» envahit le discours du grand'père, gangrène son vocabulaire ; quand il lit le journal, ça donne ceci :

> *«Yodok, un yodok qui s'est produit sur la yodok près de Yodok a fait deux yodoks. Une yodok qui venait de quitter Yodok et roulait en direction de Yodok, est entrée en yodok avec un yodok. Le yodok du yodok, Yodok Yodok, et son yodok, Yodok Yodok, ont été tués sur le yodok».* (p. 83)

Or, si ce langage particulier exaspère l'entourage du grand'père, ce n'est pas qu'il soit incompréhensible : en effet, il est assez facile de donner une «traduction» en français standard du discours en yodok, on devine bien ce qui s'est passé, même si certains éléments (par exemple le nom des victimes de l'accident, la marque des voitures, la ville…) restent incertains.

Exercice : (à faire en groupe)

Prenez un texte narratif codé de façon assez précise (un fait-divers, un compte-rendu de match, un début de conte de fées, un résumé de réunion politique…). Ôtez-en les substantifs et les adjectifs, et remplacez-les par un mot inventé et dépourvu de sens en français (Pourquoi pas «Yodok» ?) Distribuez le texte ainsi préparé aux autres joueurs, et demandez-leur d'en faire une traduction. Comparez les différences entre les résultats.

---

1. *Histoires enfantines*, Gallimard, 1971.

Variante :

Dans *Un mot pour un autre*, [1] Jean Tardieu explore les possibilités de faire comprendre une situation au lecteur (ou au spectateur) tout en utilisant un lexique existant, mais nullement pertinent. Ici, par exemple, M. de Perleminouze rencontre son épouse chez sa maîtresse, à l'embarras général :

« *M. de Perleminouze (à part) : Fiel ! Ma pitance !*

Mme de Perleminouze : Fiel ! Mon zébu ! **(avec sévérité)**

Adalgonse, quoi, vous ici ? Comment êtes-vous bardé ?

M. de Perleminouze (désignant la porte) Mais par la douille !

Mme de Perleminouze : Et vous bardez souvent ici ?

M. de Perleminouze (embarrassé) : Mais non, mon amie, ma palme, mon bizon... Je... j'espérais vous raviner ... c'est pourquoi je suis bardé ! Je...

Mme de Perleminouze : Il suffit ! Je grippe tout ! C'était donc vous, le mystérieux sifflet dont elle était la mitaine et la sarcelle ! Vous, oui, vous qui veniez faire ici le mascaret, le beau boudin noir, le joli-pied, pendant que moi, moi, eh bien, je me ravaudais les palourdes à babiller mes pauvres tourteaux... **(Les larmes dans la voix)** *: Allez ! Vous n'êtes qu'un...*

(A ce moment, ne se doutant de rien, Madame - la maîtresse de maison - revient).

Madame (...) Fiel ! Mon lampion ! **(Elle fait cependant bonne contenance)** *quoi, vous ici, cher comte ? quelle bonne tulipe ! Vous venez renflouer votre chère pitance ? ... Mais comment donc êtes-vous bardé ?*

(*Le Professeur Froeppel*, p. 57-8).

Faire une «traduction» de ce texte n'offrirait, vous le devinez qu'un très faible intérêt ; en revanche, il peut être amusant de prendre un texte du même type que dans l'exercice précédent, et d'en transformer systématiquement le lexique (en se limitant, par exemple, aux substantifs et aux verbes). Pour cette transformation, pourquoi ne pas vous inspirer du S + 7 déjà vu au chapitre II ?

Jean Tardieu ne s'est pas limité à l'expérience d'«un mot pour un autre». Dans le *Journal intime* attribué au Professeur Froeppel, il esquisse une typologie des divers «langages familiaux» : «le

---

1. In Le Professeur Froeppel, Gallimard, 1978.

langage considéré comme un secret de famille : le patois conju-
gal ! Le sabir amoureux ! Les dialectes maternels ! L'argot d'appartement !» (p. 16). Il décrit certains d'entre eux : le «langage
Jaguar» (mime de communication animale, accompagnée d'onomatopées, entre deux braves bourgeois fort peu «jaguar»), la
«Langue Auguste» (incorporation de termes à déformation enfantine dans la langue des parents) le patois «Champagne nature»,
dont la description reste au conditionnel, mais dont nous avons un
échantillon avec le «Faire catleya» de Swann ! Mais Froeppel ne
s'arrête pas en si bon chemin : après avoir, incidemment, sacralisé
la faute de frappe comme message de l'inconscient, il en vient à
constater que, «*puisque l'on est descendu de la Langue originelle
aux langages nationaux*» et que «*tout langage convenu entre les
hommes est une duperie*» la seule vérité réside dans le langage
individuel, et il s'exclame :

«Construisons la LANGUE MOI !» dernière phrase à peu près
intelligible, avant de sombrer dans un déluge de syllabes dépourvues de sens, du moins pour le lecteur...

L'aventure tragi-comique de l'imaginaire Froeppel n'en désigne
pas moins un risque auquel non seulement tout écrivain, mais en
général tout être doué de parole, est confronté, et que nous avons
parfois brièvement évoqué : celui du langage tellement «moi»,
tellement spécifique, (ou tellement limité à un entourage restreint)
qu'il n'est plus compris. Point n'est besoin pour en arriver là de
fabriquer des syllabes inédites, comme le pauvre Froeppel : on
peut fort bien y parvenir avec les mots de tout le monde, comme
un autre héros de Peter Bichsel, celui d'«Une table est une table»
(*Histoires enfantines*). Lassé de la stabilité des noms, il invente
d'inverser ceux-ci :

*«Le lit, il l'appelait portrait.
La table, il l'appelait tapis.
La chaise, il l'appelait réveil.
Le journal, il l'appela lit (etc)*» (p. 29).

En un premier temps, l'homme s'amuse avec ces significations
nouvelles, mais peu à peu il oublie son ancienne langue, il a de plus
en plus de mal à se faire comprendre des autres et à les comprendre :

*«C'est pourquoi il finit par ne plus rien dire.
Il se tut,*

ne parla plus qu'avec lui-même,
ne salua même plus» (p. 33).

Donc, si le langage Yodok ou les échanges d'«Un mot pour un autre» restent intelligibles (grâce à la syntaxe intacte et à l'éclairage apporté par notre connaissance du contexte), le langage-Moi du professeur Froeppel ou les permutations généralisées du héros de Bichsel, eux, dégénèrent en idiolecte et ne sont plus compréhensibles. (Froeppel meurt fou en essayant de dialoguer avec un arbre, le héros de Bichsel se mure dans solitude). Où passe la frontière ?

Exercice : (à faire en groupe)

Préparez (par écrit ou en les enregistrant sur cassette) une série d'onomatopées admises en français (n'oublions pas en effet que si un coq français fait **cocorico**, son homologue anglais émet **cock-a-doodle-doo** !). Faites-les lire (ou écouter) aux autres joueurs, puis demandez-leur d'en écrire une «traduction». Comparez les résultats.

Variante :

Ecrire (ou enregistrer sur cassette) un «texte» composé de sons analogues à ceux du langage enfantin. Le donner à lire (ou à écouter) et essayer de voir ce qui fait obstacle à la compréhension.

Il existe bien d'autres modalités de langages imaginaires [1] que nous n'avons pas évoquées ici ; dans le *Voyage autour du dictionnaire* (chap. I) nous avons envisagé la question du néologisme, du mot-valise, etc. Mais le but de ces quelques exercices, comme de tout ce chapitre, est, rappelons-le, de donner une impulsion à votre imagination, et pour cela il n'est pas nécessaire d'être exhaustif - on peut presque dire «Au contraire !» A présent, nous vous proposons quelques modèles de fonctionnement.

---

1. Vous trouveriez d'autres exemples dans l'excellente *Petite Fabrique de Littérature*, d'A. Duchesne et Th. Legay, Magnard, 1984, p. 291-298.

IV. Maquettes à construire : modèles de fonctionnement

A présent que vous avez fait vos gammes de démarrage (chap. I et II) et que votre imagination est totalement déchaînée (chap. III), nous vous proposons quelques modèles de fonctionnement, pour servir de cadre à des possibilités d'écriture de textes longs ou courts, l'accent étant, dans tous les cas, mis sur l'*architecture*. Dans la première partie du chapitre, nous emprunterons ces modèles à la musique, aux jeux, au graphisme, mais il ne s'agit là que de suggestions, pour vous inciter, après avoir exploré ces pistes, à en défricher d'autres.

1. Meccano

Modèles musicaux

La musique, en souvenir peut-être des époques lointaines où elle était inséparable de la poésie, a toujours entretenu des rapports multiples avec l'écriture. Notre propos n'est pas ici de les analyser, mais d'indiquer quelques pistes de réflexion et de production textuelle à partir de quelques exemples.

Si vous ne voyez pas de différence entre un rhododendron et un concerto brandebourgeois, vous pouvez sauter directement au IV.2.

• De nombreux écrivains ont fait de la musique, ou d'un musicien (interprète ou compositeur) l'élément majeur d'une de leurs œuvres. On cite toujours *La Sonate à Kreutzer*, de Tolstoï, ou *Le Docteur Faustus*, de Thomas Mann (œuvre passionnante, mais malheureusement marquée par une absence à peu près totale d'ouverture à la musique sérielle dont elle prétend parler !). Mais il est facile de renouveler les exemples, car, phénomène de société sans doute, nombre de romans récents sont autant de biographies de musiciens fictifs ou réels [1].

• Il est possible d'aller plus loin, et d'abord en rappelant que, dans le monde anglo-saxon et allemand, les notes de musique sont désignées par les lettres de l'alphabet, à partir du LA (= A) : songez au chanteur de *La Disparition*, le roman lipogrammatique de Perec, foudroyé par la note MI (= E). Certains compositeurs ont joué sur cette possibilité pour créer un thème à partir de leur propre nom ou du nom du dédicataire : *L'Art de la Fugue* sur les lettres du nom de BACH, les *Variations Abegg* de Schumann, ou Alban Berg entrelaçant ses propres initiales et celles de la femme aimée, Hanna Fuchs, dans le thème de sa *Suite Lyrique* (ABHF). On pourrait imaginer l'exercice suivant : écrire la succession de notes de musique correspondant à un nom (de A à H !), puis, à partir de la phrase mélodique ainsi obtenue, essayer d'écrire un texte…

• De façon plus ambitieuse, nous pouvons également songer à une œuvre dont la structure même se proposerait de refléter une construction musicale. Certaines formes musicales sont passées dans le langage courant : par exemple *Thème et variations*, déjà évoqué dans le chap. II, ou encore :

– le contrepoint, combinaison d'une ligne mélodique et d'une autre créée à partir de la première, selon un mouvement contraire (les lignes divergent), parallèle (les lignes sont parallèles, non pas à l'unisson car alors il n'y a plus contrepoint, mais selon une intervalle harmonique) ou oblique (immobilité de la première ligne, mobilité de la seconde). Cette définition (fortement simplifiée !) vous permet déjà d'entrevoir des possibilités de construction. Huxley, l'un des premiers, en a usé dans son roman *Contrepoint*.

---

1. On peut citer : Nancy HUSTON, *Les Variations Goldberg* (Seuil, 1977), Pascal QUIGNARD, *Le Salon du Wurtemberg* (Gallimard, 1984), Thomas BERNHARD, *Le Naufragé* (trad. de l'allemand, Gallimard, 1986) BAPTISTE-MARREY, *Les Cahiers de Walter Jonas* (Actes-Sud, 1985), Michel BREITMANN, *Le Témoin de Poussière*, Christine CLERC, *L'Arpeggione* (Flammarion, 1987) et l'admirable *Musikant* d'André HODEIR (Seuil, 1987). Dans ces textes, à l'exception du dernier et des *Cahiers de Walter Jonas*, la musique est une source d'inspiration, mais non d'architecture.

– Le canon (que vous connaissez sous sa forme chantée, comme *Frère Jacques*) et la fugue, formes polyphoniques utilisant le contrepoint.

D'autres formes, plus rares, ont inspiré des constructions à des poètes ou à des romanciers : citons le *Ricercare* de Geneviève Serreau (le *ricercare* - le mot veut dire rechercher - est une composition pour orgue, faisant alterner les passages d'improvisation et de virtuosité avec des passages en accords lents, très contrastés) ou *Strette* de Paul Celan (la *strette* est le dernier mouvement d'une fugue, dans lequel le thème initial est repris, non pas intégralement, mais brisé, mélangé aux autres variations sur le thème de façon brève et rapprochée).

L'Oulipo, malgré ses affinités avec les mathématiques, ne s'est guère intéressé à la musique, du moins comme productrice potentielle de contraintes d'écriture. Il faut signaler d'autant plus l'expérience de Jacques Bens, qui dans *Rendez-vous chez François*, a utilisé le thème de l'Adagio de la *Wanderer-Phantasie* de Schubert de la façon suivante :

"J'ai attaché à chaque note du thème un personnage particulier, et à chaque accord de la grille harmonique un lieu différent. J'ai alors raconté mon histoire et, situant les personnages dans les lieux adéquats, dans l'ordre même où Schubert fait apparaître notes et accords /.../ On voit tout le parti qu'un écrivain peut tirer de telles structures préalables, puisqu'elles combinent différents éléments musicaux (notes, accords, mais aussi plusieurs notes simultanées dans le sens vertical - cas du contrepoint - avec, pour chaque note, valeurs et durées, puis expositions et développement des thèmes, etc.) à quoi l'on peut faire correspondre une quantité pratiquement illimitée d'éléments littéraires».

(*Rendez-vous chez François*, Oulipo III, I, p. 230-231)

Cette rubrique «musique» vous semble peut-être un peu trop technique ; nous l'avons voulue telle, pour réagir contre l'inflation, dans le langage courant, du n'importe quoi musical (ex : le mot *symphonie* pour désigner un ensemble d'objets quelconques ayant un quelconque rapport).

Mais n'oubliez pas que la musique n'est pas que structure et technique, et que, sans autre savoir que le plaisir de l'écoute, vous pouvez y trouver une impulsion dynamique à créer. Comme le dit très bien André Hodeir à propos de Mozart :

«Il fait confiance à son pouvoir d'invention, Mozart, commençons

toujours, semble-t-il se dire comme on avancerait une hypothèse impro-
bable, on trouvera bien quelque chose en chemin ; et le plus fort, c'est que
ça marche : voici que la pièce prend corps, qu'elle s'organise, se nourrit
de ses rencontres, ici d'un rythme, là d'un enchaînement, ou de fragments
mélodiques qui viennent se juxtaposer avec grâce ; née dans l'anonymat
(parce que le thème de départ n'est qu'une simple indication harmonique,
qui n'a rien de mozartien), *elle ne tarde pas à clamer son identité».*
(*Musikant*, p. 113).

Mais ici, on ferme le manuel et on largue les amarres...

Ecrire à partir d'un jeu

Il y a des milliers de jeux : quelle mine d'idées pour qui cherche
à écrire ! car certains ont été exploités par les écrivains, mais il en
reste sûrement des tas...

Ce qui d'abord excite l'imagination scripturale dans un jeu, ce
sont les figures qu'il comporte : les échecs ou le go représentent des
champs de bataille, des territoires à défendre ou à conquérir, les
jeux de cartes représentent des personnages de cour (rois, dames,
valets...) ou des symboles du destin (voir par exemple les cartes
du tarot, ou le *Jeu de Marseille*, jeu de cartes classique mais
renouvelé par les surréalistes, pendant la dernière guerre, à Marseille). Le plus souvent, les écrivains qui ont fait appel à tel ou tel
jeu dans leurs textes, soit ont figuré des joueurs en train de se livrer
à leur passe-temps (par exemple *Nathan le Sage*, de Lessing, pour
les échecs, *Le Maître ou le tournoi de go* de Kawabata pour le go),
soit se sont servis des symboles représentés pour amorcer une
histoire : c'est le cas, à un premier niveau, du *Château des Destins
Croisés* de Calvino, sur lequel nous reviendrons, ou d'*Alice au
pays des merveilles*, dans lequel Alice rencontre des personnages
de proverbes ou de nursery rhymes, mais aussi des cartes à jouer :
au moment où la redoutable Reine de Cœur commande «Qu'on lui
coupe la tête !» pour la centième fois, Alice réplique «vous n'êtes
rien qu'un paquet de cartes à jouer !», phrase qui détruit le rêve et
réveille la petite fille.

Ce fonctionnement, fondé soit sur la simple représentation d'un
jeu, soit sur les associations d'idées déclenchées par le jeu, n'est
certes pas à dédaigner, et vous pouvez vous y entraîner à partir de
tel ou tel jeu que vous aimez (pourquoi pas le football, le tennis ?
Il y a bien une partie de croquet dans *Alice au pays des merveilles*).

Mais il est sans doute plus producteur d'essayer d'extraire du jeu sa structure même et de s'en inspirer pour écrire. Quelques exemples classiques ou modernes :

Le jeu de l'oie

Le Testament d'un Excentrique, de Jules Verne, figure un parcours au travers des États-Unis par plusieurs concurrents, candidats à l'héritage de l'«excentrique», sur le modèle d'un jeu de l'oie. Dans *La Cause des oies*, déjà cité, la contrainte était la suivante : les deux auteurs disputaient réellement une partie de jeu de l'oie, lançant les dés une fois par semaine et écrivant un texte à partir de la case sur laquelle le hasard avait amené les dés.

Le jeu de go

E, de Jacques Roubaud, se présente de la façon suivante :

«Ce livre se compose, en principe, de 361 textes, qui sont les 180 pions blancs et les 181 pions noirs d'un jeu de go /.../ Dans tout ce qui suit, on identifiera la représentation d'un texte sur une surface (papier) à la donnée traditionnelle d'un petit volume de nacre (pions blancs) ou de basalte (pions noirs). /.../ Les pions entretiennent entre eux différents rapports de signification, de succession ou de position. Ce sont certains de ces rapports que nous proposons au lecteur, selon quatre modes de lecture /.../ Le troisième mode de lecture suit le déroulement d'une partie de go. Cette partie n'est pas achevée : de manière précise, nous proposons une image poétique /.../ des 157 premiers coups d'une partie...» (p. 7-9).

Ajoutons qu'on notre avis la chronologie de l'écriture suit (sans le dire) le déroulement de la partie, ce qui fait que les premiers «coups» sont représentés par les textes les plus anciens.

Le jeu d'échecs

Le «jeu des rois et le roi des jeux» devait nécessairement attirer les écrivains en quête de contraintes rigoureuses. Signalons que Raymond Roussel, l'un de nos auteurs-fétiches, et dont nous parlerons davantage dans la seconde partie de ce chapitre, est l'auteur de la formule *Le Mat du Fou et du Cavalier* louée par S. Tartakower (l'auteur du manuel bien connu des joueurs).

Mais si de nombreux romans, anciens ou récents, ou encore des films, mettent en scène les échecs, peu d'entre eux sont vraiment «tissés pour ainsi dire sur une trame échiquéenne» (Tartakower). La raison en est, peut-être, la difficulté d'extraire UNE contrainte significative de tout le système de contraintes multiples qui constitue le jeu. Citons néanmoins *La Marche du Cavalier*, de Chklovski, *La Vie Mode d'Emploi*, de Perec, dans lequel les déplacements du lecteur sur les 99 cases de l'«immeuble» sont régis entre autres par la figure dite de la «Polygraphie du cavalier» (qui permet de parcourir toutes les cases sans passer deux fois sur la même), ou enfin *Alice à travers le Miroir*.

Contrairement à *Alice au pays des merveilles*, où, nous l'avons vu, les figures du jeu de cartes fournissaient des personnages mais non des relations ou des déplacements, *Alice à travers le miroir* reproduit la phase finale d'une partie d'échecs, où les personnages sont autant de pions ; l'auteur a pris soin de préciser dans sa Préface que la partie était parfaitement jouable et conforme aux règles...

Jeux de cartes

Parmi les écrivains qui se sont inspirés des jeux de cartes, l'expérience de Calvino est sans doute actuellement la plus extensive et la plus systématique. A partir d'un jeu de tarots, l'auteur commence par se laisser imprégner en quelque sorte par les images :

«Je me suis par-dessus tout appliqué à regarder les tarots avec attention, comme quelqu'un qui ne sait pas ce qu'ils représentent, et à en tirer des suggestions, des associations, pour les interpréter selon une iconologie imaginaire.»

(Note à la suite du *Château des Destins Croisés*, Seuil, Coll. Points, p. 135).

Après avoir imaginé des personnages, et le début de leur destin, l'auteur les montre, sur le modèle du *Décaméron*, réunis par le hasard dans un château (plus tard une taverne) : chacun à son tour raconte son histoire, mais sans ouvrir la bouche, uniquement en disposant sur la table commune des lames de tarot que les auditeurs de ce récit muet «interprètent» au fur et à mesure.

Mais la difficulté était de «disposer les cartes selon un ordre qui contînt et commandât la pluralité des récits» et qui ne fût pas constamment mouvant. Après maint tâtonnement (très réconfortant pour le lecteur !), Calvino parvient à construire *«une sorte de* mots croisés faits de figures au lieu de lettres, où en plus chaque séquence peut se lire dans les deux sens».

Après *Le Château* et *La Taverne*, Calvino a imaginé un troisième lieu où se faire se dérouler une intrigue à combinaisons du même type, mais, dans sa générosité, il n'en a pas tiré parti et nous en fait cadeau : à vous de voir si cela vous inspire !

«Le Motel des Destins Croisés

Quelques personnages qui ont échappé à une mystérieuse catastrophe trouvent refuge dans un motel à demi détruit, où n'est restée qu'une page roussie de journal : la page des bandes dessinées. Les survivants, qui ont perdu la parole tellement ils ont eu peur, racontent leurs histoires à l'aide des vignettes, mais sans suivre l'ordre de chaque strip *: en passant d'un* strip *à l'autre, selon des colonnes verticales ou diagonales.*

Je ne suis pas allé plus loin que la formulation de l'idée telle que je viens de l'exposer. Il était temps de passer à autre chose. J'ai toujours aimé faire varier mes parcours». (Le moindre enseignement à tirer de cet exemple n'étant pas la dernière phrase).

Modèles graphiques ou picturaux

Les écrivains sont généralement plus timides que les peintres ou les plasticiens pour ce qui est d'occuper l'espace ; ils restent le plus souvent prisonniers de la surface plane de la page, de la latéralité gauche-droite, de la succession haut-bas, bref des normes européennes de l'écrit.

Des tentatives comme les calligrammes, intéressantes, restent limitées, figuratives, et ne rompent pas véritablement avec l'espace de la page.

En revanche, la collaboration avec peintres ou plasticiens peut être féconde, parce qu'elle contribue à libérer l'écrivain de son rapport trop traditionnel à la ligne, à la page, au livre. Que ce soit dans la fabrication de livres-objets ou dans les différentes tentatives de transformer la page écrite, la piste mérite d'être signalée.

Le livre-objet

Sans pouvoir, dans le cadre de cet ouvrage, développer là dessus, il nous a paru intéressant d'en donner quelques exemples, qui peuvent vous suggérer à votre tour des fonctionnements avec des amis plasticiens.

Michel Butor, par exemple, a souvent collaboré avec des peintres, dans une relation qui n'est pas d'illustration - de redondance - mais qui est une sorte de dialogue «bilingue» entre les deux formes d'expression :

– Avec Monory pour le *Bicentenaire Kit*, livre-objet commémorant le deux centième anniversaire de la Déclaration d'Indépendance des États-Unis.

– Avec Maccheroni pour *Provision*, aquarelles scellées dans des bocaux de verre hermétiques, du genre des pots à confiture.

– Avec Alechinsky pour *Hoirie-Voirie*, ouvrage commandé par la firme Olivetti et constitué d'écrits dactylographiés, «contredits» dans leur aspect achevé, définitif, par le dessin incertain et ouvert.

De tels exemples, - qu'il faudrait évidemment pouvoir montrer ! - indiquent, par la diversité de leurs supports, que l'écrit peut se démultiplier et se diversifier beaucoup plus que nos habitudes ne nous laissent le penser [1].

Recherches graphiques

Dans le même registre, il existe des modèles de fonctionnements inspirés de formes géométriques, auxquelles sont attachées ou non des significations symboliques (croix, X, damier, diagonale) : il s'agit alors de «remplir» la forme choisie par le texte.

Par exemple, *Signe. Entreprendre. SI* d'Armand Alegria se présente de la façon suivante : chaque page est un damier, composé de 6 x 6 cases : chaque case est, soit un blanc, soit un petit bloc de texte imprimé alternativement en noir et bleu ; le texte se lit horizontalement et de gauche à droite, mais la lecture en est freinée par l'alternance de couleurs, de signes typographiques, de blancs, de cases «vides» (= remplies de points ou de lettres répétées et dépourvues de signification), ce qui oblige le lecteur à plus de vigilance, et met en valeur certains mots ou syntagmes. (Revue *Chemin de Ronde*, n° 2, 1979).

On peut aussi, à partir d'un texte déjà écrit de manière classique (texte de soi ou d'un autre), travailler un peu comme dans le *cut-*

---

1. Frédéric APPY, *Nixe Mise en question et exaltation du livre* (éditions de la différence, 1985). *Le Matériau*, ouvrage collectif sous la direction de Didier Coste, revue Noésis, n° 5 (Calaceite, Espagne, 1985).

up, en cadrant par des caches telle ou telle partie du texte, en posant une couche de peinture ou de vernis sur les parties à mettre en valeur, etc.

Les modèles picturaux

Nous n'en parlerons que brièvement, dans la mesure où l'écriture entretient trop souvent avec la peinture des relations de description, de mimésis, qui ne constituent pas l'objet de ce chapitre : mais on peut imaginer un écrivain qui tenterait d'emprunter à un tableau, non pas tel ou tel élément, mais sa construction même. Michel FOUCAULT dans *Les mots et les choses* l'a peut-être réussi avec son évocation des *Ménines* de Velasquez ; citons encore l'expérience du romancier allemand Michael ENDE, qui, dans *Le Miroir dans le Miroir* [1] a composé trente brefs récits à caractère fantastique en s'inspirant des lithographies ou des dessins de son père, le peintre surréaliste Edgar Ende. Toutefois, c'est bien à la peinture que nous allons emprunter la structure suivante.

L'enchâssement

Enchâsser un objet, c'est le mettre dans une châsse, c'est-à-dire dans un cadre, une monture, qui le protège et le met en valeur.

En littérature, l'enchâssement, c'est l'emboîtement d'un récit dans un autre récit qui lui sert de cadre : dans *Hamlet*, la tragédie que fait représenter Hamlet par des acteurs devant sa mère et son beau-père est un enchâssement.

Mais l'enchâssement ne se définit pas uniquement par sa structure : l'histoire enchâssée entretient aussi, le plus souvent, des relations de réduplication avec l'histoire-cadre ; enfin, il arrive que la relation des deux histoires reproduise ou mime les mécanismes de la production textuelle.

S'il y a de très nombreux exemples, depuis les origines, d'enchâssement au premier sens du terme (ainsi, la description du bouclier d'Achille dans *L'Iliade*) plus rares sont les auteurs qui l'ont utilisé dans les autres sens. Le meilleur exemple est sans doute Raymond Roussel, que nous pouvons considérer comme l'«inventeur» de l'enchâssement au sens plein.

---

1. Belfond, 1988.

Nous nous limiterons à un exemple tiré de *Locus Solus*. Dans ce roman, Roussel relate une visite que font quelques amis dans la propriété de l'inventeur Martial Canterel, «Locus Solus». L'inventeur leur fait les honneurs de ses machines et de ses découvertes. Dans le chapitre IV, en huit anecdotes successives, nous découvrons une invention qui consiste à réanimer artificiellement, pour quelques instants, huit morts qui ont été confiés à Canterel par leurs familles éplorées. Pendant la durée de cette survie trompeuse (mais qui peut être indéfiniment réitérée), le mort répète une scène particulièrement marquante parmi celles qui ont précédé son trépas. Les invités de Canterel assistent d'abord aux huit saynètes (auxquelles, naturellement, ils ne comprennent rien) : ensuite, Canterel raconte la vie des huit morts et dévoile l'énigme.

Résumons brièvement la huitième anecdote (que nous laisserons partiellement énigmatique, pour vous donner l'envie de lire le tout !). Elle est construite à l'inverse d'un roman policier : nous savons en effet d'emblée qui est le criminel, et que celui que l'on a condamné est innocent. Le criminel , qui n'est pas exempt de remords, veut laisser sa confession pour innocenter celui qui expie à sa place, mais il veut aussi atténuer l'horreur de son acte par les circonstances de son aveu. Il cachera donc sa confession dans un étui d'or commémorant la centième représentation d'une de ses comédies (c'est donc un écrivain à succès), lequel bijou sera désigné dans un volume exposant la généalogie honorable de sa famille, lequel volume est indiqué par des caractères gravés sur le crâne avec lequel jadis jouait sa fillette chérie juste avant d'être brûlée vive ! Autant de circonstances atténuantes ! - Grâce à l'invention de Canterel, l'innocent enfin innocenté peut voir le vrai criminel reproduire, avant de se tuer, les circonstances de son aveu. L'histoire comporte donc des récits emboîtés (par exemple celui de la mort de la fillette, récit déclenché par l'objet-crâne), une réduplication (toute histoire est racontée deux fois, une fois en énigme et une fois en solution), des objets spéculaires (l'étui, qui est une châsse au sens strict, le volume, le crâne gravé) et enfin une mise en abyme de l'activité de l'écrivain.

Peut-être êtes-vous un peu terrifié par la précision maniaque de ce mécanisme roussellien : ce fut aussi la réaction de la plupart de ses contemporains, à l'exception des surréalistes ! Mais Roussel offre un prodigieux réservoir de fictions. Nous verrons dans la fin du chapitre son «procédé» d'engendrement de fiction : ici, nous pouvons en retenir - même si nous ne prétendons pas rivaliser avec la complexité de *Locus Solus* - l'intérêt de cette procédure d'enchâssement, en particulier pour un roman policier.

Un lointain disciple de Roussel, Ian WATSON, a tiré de ce principe roussellien un roman entier qui s'appelle *L'Enchâssement*. Ce texte guère plus simple que son «modèle» est une sorte de roman d'anticipation ou de politique-fiction ; au départ, des enfants du Tiers Monde font l'objet, en Europe, d'expérimentations linguistiques dans lesquelles on les isole et on leur inculque un langage artificiel, «enchâssé» ; l'un des linguistes animateurs de l'expérience découvre en Amérique latine une tribu primitive où, sous l'effet de la drogue, les indigènes parlent le même langage… le tout se terminant en apocalypse.

Exercice

Pour vous préparer à la seconde partie de ce chapitre, en guise de transition, voici un exercice à faire en groupe, inspiré du texte de Roussel que nous venons d'évoquer :

Prenez un roman policier que vous connaissez ; nous choisissons ici *Cinq petits cochons*, d'Agatha Christie.

Partagez votre groupe en quatre sous-groupes, dont chacun aura à exécuter la tâche suivante :

1. *Emboîtement* : le premier groupe écrit le récit que Miss Williams fait à Hercule Poirot et que celui-ci répète aux protagonistes (fausse piste).

2. *Réduplication* : le second groupe écrit la lettre que Caroline écrit à sa sœur Angela (qu'elle croit coupable) puis la réponse qu'Angela pourrait lui faire quinze ans après, à propos des mêmes événements.

3. *Rétrospection* : le troisième groupe écrit l'aveu d'Elsa et les circonstances atténuantes qu'elle évoque.

4. *Mise en abyme* : la victime, Amyas Crale, est un peintre qui ne vit que pour son art et sacrifie tout à son ambition (y compris les sentiments de son entourage). Le quatrième groupe écrit ce que pense Amyas mourant sous les yeux de sa meurtrière (qui est aussi le modèle du tableau qu'il était en train d'achever).

On peut aussi écrire le roman policier en partant de la fin, en partant du point de vue de l'assassin (*Le Meurtre de Roger Ackroyd*), etc.

2. Combinatoire et rencontres inopinées

Avant d'aborder plus en détail les méthodes rousselliennes, nous ferons une incursion vers «l'écriture à plusieurs». Il est possible de constituer un groupe d'écriture à partir de deux personnes, et les mécanismes de mise en relation aléatoire qui font l'objet de cette partie sont différents dans un collectif. Mais, que vous écriviez seul ou non, vous verrez une fois de plus que l'«inspiration» n'existe pas ou si peu...

Silence, on tourne !

Les feuilles circulent beaucoup dans les ateliers d'écriture, et nous ne pouvons passer sous silence cette pratique réjouissante et créatrice. Le premier exercice peut néanmoins être réalisé individuellement, mais les suivants nécessitent la participation d'au moins deux personnes.

Photo-texte

Réunissez un certain nombre de photos que vous aimez et donnez-leur un ordre significatif par rapport à un thème qui vous semble se dégager. Ecrivez ensuite le texte qui jouerait en contrepoint avec ces photos.

Il est plus intéressant de travailler le texte en contrepoint, en opposition à la rigueur, que de lui faire dire la même chose. Il ne faut pas que le texte soit redondant par rapport au sens des photos.

Variante

Vous pouvez également mélanger ces photos que vous aimez, les retourner sur votre table, et les tirer une à une, un peu comme on fait une réussite, en écrivant chaque fois quelque chose qui continuerait l'histoire que vous avez été amené à inventer. Fait à plusieurs, cet exercice montre l'incroyable diversité des interprétations.

La photo tournante

Une photo circule dans le groupe, chacun écrit une petite histoire ; il est également possible de faire circuler plusieurs photos, qui devront être intégrées dans votre récit, dans l'ordre de leur présentation.

La structure tournante

A partir d'un schéma de phrase très simple, vous allez d'abord choisir un déterminant et un substantif, puis vous ferez tourner les feuilles et vous ajouterez un verbe. Au troisième passage, ce sera un autre déterminant et un second substantif, puis vous compliquerez la structure avec des compléments, de lieu, de temps, etc.

Vous perdez tout contrôle sur ce que vous aviez commencé à entrevoir, et vous avez pouvoir absolu sur les débuts que vous continuez.

Au fil des passages, ajoutez, ici et là, tous de conserve, d'autres adjectifs, des propositions incises dont vous aurez prévu la forme à l'avance, et vous verrez des textes prendre forme ; ils peuvent être conventionnels, sauf si vous avez soigneusement veillé à introduire quelques loufoqueries dans les feuilles qui sont passées entre vos mains. Mais une étape décisive peut être franchie, si vous voulez rompre avec le «mignon», en réécrivant des textes «contraires». L'enfant blond qui dort sagement dans son petit lit blanc peut se transformer en géant chauve qui vocifère dans son gros fauteuil défoncé, ou la chaude ambiance d'un feu de bois peut devenir la fournaise de l'enfer, ou la blancheur glacée d'une forêt pétrifiée par le froid. Les transformations les plus drôles s'opèrent à partir des verbes, et il ne faut pas craindre de dépasser les limites généralement admises, un peu à la manière de KLOTZ et GOURMELIN dans les *Innommables*.

Le roman à relais.

Chaque participant commence une histoire, en campant son ou ses personnages principaux, dans un cadre de son choix. Le principe est toujours le même : c'est un autre qui continuera votre texte, à son gré, et vous aurez la surprise de découvrir des enchaînements étonnants et de voir comment les imaginaires rebondissent les uns sur les autres. La seule consigne stricte consiste à respecter au maximum le style du précédent.

Variantes

• Le temps d'écriture peut être libre, certains ayant besoin de davantage de réflexion. Vous pouvez fixer une durée, et attendre que chacun ait posé son idée sur le papier avant de tourner. Vous pouvez aussi, et c'est à mon avis la solution la plus amusante, nomme un «maître du jeu» qui émettra de temps en temps un bruit convenu - claquement des doigts, choc d'un stylo sur la table, etc. - à l'audition duquel tout le monde devra lever la main, mot achevé ou non. C'est au début très frustrant, mais les transformations et les détournements que ce procédé permet sont si fertiles que la règle est vite acceptée sans restriction.

• Une autre variante consiste à récupérer ses petits bouts de texte, dans l'ordre où on les a écrits, à les assembler, et à voir s'ils ont une signification personnelle. Ce travail n'est en aucun cas un travail de groupe, il arrive en effet qu'une signification forte et bouleversante émerge, lorsque par exemple, notre esprit est préoccupé par une chose importante, mais enfouie.

La vie secrète des objets

Chaque participant dépose sur la table le contenu de ses poches, de son sac, de son portefeuille, etc. Il sélectionne six ou sept objets sans savoir dans quel but. Puis l'animateur de la séance pose à tous la même question fatidique «Qui a tué la vieille dame ?» ou «qu'est-ce qu'il y a a manger ce soir ? » ou encore «Monsieur Michodu a-t-il une double vie ? » Chacun s'efforcera de répondre à cette question, en s'appuyant sur les témoignages apportés par les objets sélectionnés. Tous les objets, avec leurs particularités, seront utilisés.

Variante

Un certain nombre d'objets est mis en commun, et des histoires individuelles sont fabriquées, sans que les participants se soient accordés ou aient échangé leurs projets.

Comment écrire sans imagination

Le monde ouvert par la présence et le respect des contraintes fourmille de surprises, de difficultés également, mais ouvre toujours sur la production de textes, même si, a priori, on n'a «aucune idée». Il faut bien sûr revenir à Raymond ROUSSEL et à sa manière exemplaire et particulière de travailler. Les exercices présentés ici sont tous plus ou moins liés à ses recherches, que Jean RICARDOU analyse très précisément (*Pour une théorie du nouveau roman*, chapitre V), dépassant les confidences de ROUSSEL lui-même dans *Comment j'ai écrit certains de mes livres* [1]. Car s'il dévoile quelques procédés, d'autres restent énigmatiques et il s'est employé à effacer toute trace des origines des textes. Mis à part les cas où le clin d'œil est affiché, nul ne peut savoir comment le récit a été engendré. ROUSSEL lui-même se flatte de n'avoir jamais utilisé le réel pour écrire, y compris dans son ouvrage *Impressions d'Afrique*, pays qu'il connaissait cependant. Seuls comptent l'imaginaire, et l'assemblage dans un texte cohérent de mots, de phrases, de thèmes, «fabriqués» de toutes pièces, et de la façon la plus aléatoire possible. Plus les signifiés sont éloignés les uns des autres, plus leur proximité est improbable, plus le texte devra être ingénieux pour sembler «naturel» et plus l'auteur devra aiguiser son imagination. Mais, comme le remarque Jean RICARDOU, la grande virtuosité de R. ROUSSEL lui a permis de réintroduire dans les histoires ainsi créées des éléments qui signalent (de façon plus ou moins voilée) quelques aspects ou étapes de leur création, mettant ainsi en scène une «auto-représentation des processus de production [2]».

Il faut remarquer par ailleurs que de nombreuses descriptions, peut-être même toutes, ne doivent strictement rien à l'observation d'une réalité retranscrite. C'est à cette «pratique de production» que vous allez pouvoir maintenant vous consacrer, à partir d'exercices d'abord très simples. Mais ne pensez jamais que des rapprochements faciles font la trame d'une histoire intéressante, et, si «Roussel oppose l'extraordinaire diversité des données de base à l'irrémissible penchant qui le porte au banal» [3], n'ayez aucune indulgence pour les associations «évidentes» ou drôles a priori : c'est après, par le lent travail de tissage des mots, que la drôlerie, les trouvailles viendront, c'est ainsi, et seulement ainsi que vous serez certain d'échapper vous aussi au banal.

---

1. Ed. Jean Jacques PAUVERT, 1963.

2. J. Ricardou, «L'activité roussellienne» in *Pour une théorie du nouveau roman* Paris, Ed. du Seuil, 1971.

3. Ibid. p. 97.

Petit loto littéraire

Découpez ou faites découper dans un journal, une revue, des mots (substantifs, adjectifs, verbes) sans qu'il y ait entre eux de rapports de sens. Vous pouvez même les mélanger si vous voulez accentuer le côté aléatoire (mais on peut également jouer aux fléchettes sur un dictionnaire…) et, une fois en possession de ce stock de mots, commencez votre histoire, soit en pariant de réaliser le phrase sensée la plus courte possible, soit en jouant avec les idées successives, intégrant harmonieusement tous les mots dans un ensemble cohérent.

Les cousins piquèrent la gourde

A partir de mots presque semblables, dont l'orthographe diffère sur une seule lettre par exemple, ou qui sont homonymes, il s'agit de construire deux phrases presque identiques, dont l'une commencera un conte, tandis que l'autre le terminera.

Quelques exemples ? «Les cousins piquèrent la gourde» qui donne le titre de ce paragraphe est une phrase à double sens, «les cousins» sont de petits chenapans qui volent la gourde de l'héroïne, et l'histoire se termine sur le récit des moustiques (cousins) qui piquent une pauvre fille un peu simplette.

Voici également quelques illustrations du procédé, réalisées par R. ROUSSEL :

– «Les boucles du petit rentier tout blanc faisaient mon admiration. Elles étaient naturelles et encadraient à merveille sa figure de joli vieux soigné et avenant» (…)

Nous apprenons alors que trois amis ont prévu un voyage en montgolfière et sont pour cela hébergés pour une nuit, en montagne, chez un charmant retraité, celui-là même dont la chevelure blanche fait l'admiration du narrateur. Le ballon s'envole au petit matin et les aéronautes regardent s'éloigner la tache blanche des cheveux de Monsieur Gilet, qui court dans la montagne sur une petite route, en leur adressant des signes d'adieu. Lorsque, l'ayant perdu de vue, les aérostiers demandent un point de repère pour le situer, le narrateur indique : «ils le découvrirent enfin quand pour toute réponse je braquai mon doigt vers la tortueuse grand-route en leur disant au milieu du profond silence de l'espace :

– «les boucles du petit sentier tout blanc».

Une autre nouvelle, issue du même procédé, est assez remarquable, c'est une histoire d'amour et de trahison, dans laquelle la voluptueuse Natte - une brune espagnole de quarante-six ans - va trouver la mort, empoisonnée par son amant délaissé ; une belle prune sera l'instrument de sa vengeance :

«La peau verdâtre de la prune un peu mûre semblait appétissante à souhait. C'est donc ce fruit que je choisis parmi les quelques friandises préparées sur un plateau d'argent pour le retour de la senora» (…)

«Natte, immobile, semblait de marbre. Le manteau noir la recouvrait tout entière. La tête seule dépassait, cette tête sans jeunesse aux éclatants cheveux noirs, toute pâle sous le flot de lumière blafarde, presque verte, qui s'élançait de la fenêtre.

L'effet était tragique.

On ne voyait plus qu'une chose, une seule…

La peau verdâtre de la brune un peu mûre».

La plus grande difficulté de l'exercice consistera à trouver ces mots, à la fois proches et lointains ; ne vous préoccupez surtout pas, je le répète, de la manière dont vous allez combler l'espace narratif, votre imaginaire fera le travail tout seul, si l'on peut oser cette affirmation. Rien ne vous oblige à limiter votre verve, vous aurez peut-être à remplir plusieurs pages pour joindre les deux phrases.

Variante

Trouvez deux phrases de contenu événementiel n'ayant aucun rapport logique. La première débutera votre histoire, la seconde la terminera. Cet exercice peut également vous préparer à l'exercice précédent si vous le trouvez difficile. Mais n'oubliez pas que la difficulté apparente stimule en fait la créativité.

J'ai du bon tabac

Longuement commenté par tous ceux qui ont tenté de décoder et de comprendre les mécanismes de production rousselliens, cet exercice, et ses nombreuses variantes, constitue l'un des classiques du genre. Par opposition à la manière de faire que nous avons vue plus haut, ce «procédé évolué» pour reprendre le terme de ROUSSEL, dissimule les stratégies d'obtention des groupes de mots-source, et s'il n'avait consacré un ouvrage à les dévoiler, nous n'aurions jamais su comment il s'y était pris.

Il s'agit de trouver par n'importe quel moyen (fragments de conversation entendus dans la rue, à la radio, titres de journaux, de chansons, de livres, etc...) un certain nombre de phrases qui constitueront le matériau de départ. Il faut ensuite décomposer chaque syllabe, et par associations, (jeu avec les images et les sonorités), constituer un stock de mots tous plus aléatoires les uns que les autres, puis les intégrer au fur et à mesure des besoins, c'est-à-dire notamment lorsque l'on ne sait plus comment continuer.

Deux cas peuvent se présenter : soit le mot est porteur de suffisamment de significations, et l'on n'hésite pas à l'intégrer dans le texte,

– soit il est complètement hors de propos et l'on doit déployer un grand art pour que personne ne s'aperçoive de la gymnastique intellectuelle et créative que l'on a dû faire pour que le mot paraisse à sa place dans le texte.

Prenons quelques exemples

Dans le conte «Le poète et la moresque» R. ROUSSEL s'est servi de la chanson «J'ai du bon tabac» de la façon suivante :

– «J'ai du bon tabac dans ma tabatière» donne :

«Jade tube onde aubade en mat (objet mat) à basse tierce».

Tous ces mots sont utilisés, dans l'ordre de la phrase initiale et alimentent le récit.

– «Tu n'en auras pas» donne :

«Dune en or a pas (a des pas)» et le poète baisera des traces de pas sur une dune.

– «J'en ai du frais et du tout râpé» donne :

«Jaune aide orfraie édite oracle paie»

Puis il a utilisé «Au clair de la lune» ainsi d'ailleurs que l'adresse de son cordonnier et les publicités qu'il avait sous les yeux. Des vers de Victor HUGO, de lui-même, tout ce qui tombait sous son regard était susceptible d'être ainsi phagocyté à ces moments où, pour pouvoir continuer à écrire, il cherchait une relance extérieure, tant était constant son souci de ne jamais rien faire sans une grande part d'aléatoire et de contrainte.

C'est ainsi que nous vous conseillons de procéder. Rien n'est négligeable, et surtout pas ce qui paraît absolument inutilisable. Autrement dit, faites feu de tout bois !

Apparatchiks et petits pois

L'idée de composer soi-même son histoire fait beaucoup de chemin depuis quelques dizaines d'années, s'inspirant d'ailleurs des voies ouvertes par l'enseignement programmé, et plus récemment, par les jeux de rôles. Dans ce qu'il est convenu d'appeler la «langue de bois», les techniques existent qui permettent de parler sans rien dire de vraiment concret, (nous en verrons un exemple plus loin), mais à un niveau plus littéraire et poétique, la tentation a toujours existé de jouer avec les idées et les structures, afin de leur faire dire des choses nouvelles.

Le premier notable effort de systématisation est celui de Vladimir PROPP dans son ouvrage *Morphologie du conte* [1] où, à travers une analyse fouillée des structures de la plupart des contes merveilleux, il parvient à dégager un certain nombre de constantes, une base morphologique identique, et à en déduire une loi de permutabilité qui souligne nettement qu'en ce qui concerne les contes «leurs parties constitutives peuvent être transportées sans aucun changement dans un autre conte» (p. 15). PROPP répertorie une vingtaine de fonctions, représentant les parties fondamentales communes à toutes ces histoires. De là, nous pouvons extrapoler, et tenter la même approche morphologique, en toute modestie, et par exemple voir ce qu'il en est du roman policier, d'espionnage, de science-fiction, d'amour «fleur bleue», du drame ou de la comédie à la manière de Marivaux ou de Labiche. Les grands moments sont codés, leur place est plutôt conventionnelle, et à partir du moment où nous sommes lecteurs, nous avons tous quelques idées de combinatoires possibles.

Mais ce serait plutôt un projet d'écriture longue, que vous aborderez mieux dans le dernier chapitre.

En attendant, quelques exercices amusants vous permettront de commencer à jouer avec les structures et l'écriture combinatoire.

Une drôle d'histoire

Nous avons tous en mémoire des contes de fées, entiers ou en bribes, et rien n'est plus amusant que le mixage systématique des différents moments, nous retrouvons d'ailleurs intuitivement les

---

1. V. PROPP, *Morphologie du conte*, Paris, Points Seuil, 1973.

fonctions dégagées par V. PROPP pour donner une cohérence à notre récit.

Blanche-Neige se pique le doigt avec un fuseau empoisonné et se retrouve condamnée à errer dans les bois en semant des petits cailloux, recouverte d'une peau d'âne. Vous pouvez la sauver en lui permettant de s'emparer des bottes de sept lieues qui l'amèneront dans le château où dort son prince charmant, qui l'attend depuis cent ans.

Selon vos sources, vous avez tout le folklore du monde à votre disposition et les mélanges sont conseillés sans limitation.

Pour éventuellement vous aider, voici, très résumés, les fonctions de PROPP.

1. Une mort, une séparation surviennent, qui expliquent l'éloignement ou le départ du héros.
2. Une interdiction est faite au héros (cf. Barbe-Bleue, le Chaperon Rouge… etc.).
4. L'interdiction est transgressée, et un agresseur apparaît.
4. L'agresseur essaie d'obtenir des renseignements sur une cachette, une provenance, etc.
5. L'agresseur reçoit des informations sur sa victime, informations données parfois involontairement, et parfois même par des proches du héros.
6. L'agresseur tente de tromper sa victime pour arriver à ses fins.
7. La victime se laisse tromper et accepte une proposition mensongère.
8. L'agresseur nuit ou porte préjudice à l'un des membres de la famille, en volant, tuant, enlevant quelqu'un ou quelque chose ;
    – ou il manque quelque chose à l'un des membres de la famille, un objet, un être, de l'argent.
9. Le héros est celui qui va partir en quête de l'être ou de l'objet manquant. C'est ici qu'il entre en scène, et en rapport avec l'histoire.
10. Le héros-quêteur décide ou accepte d'agir.
11. Il quitte sa maison.
12. Il subit une épreuve qui le prépare à la réception d'un objet ou d'un auxiliaire magique. Il doit aider, libérer, combattre, départager, sans penser qu'il en tirera bénéfice.

13. Le héros réagit aux actions du futur donateur.

14. L'objet magique est donné au héros, il reçoit une aide, des renforts.

15. Le héros est amené près du lieu où se trouve l'objet de sa quête.

16. Le héros et son agresseur s'affrontent dans un combat.

17. Le héros reçoit une marque, un gage, un signe.

18. L'agresseur est vaincu.

19. Le méfait initial est réparé, ou l'objet de la quête est trouvé.

20. Le héros revient.

21. Il est poursuivi.

22. Il est secouru.

Et, souligne PROPP, si de nombreux contes s'arrêtent ici, ce n'est pas le cas de tous, souvent une nouvelle quête doit recommencer, donc de nouvelles aventures.

A cet égard, les aventures de *Bilbo Le Hobbit* et *Le Seigneur des Anneaux*, de J.R. TOLKIEN illustrent, dans un foisonnement et une verve rares, tout ce que PROPP, en son temps, a su mettre en évidence.

Parcours erratiques

Raymond QUENEAU, dans ses *Cent mille milliards de poèmes,* a introduit dix sonnets de 14 vers chacun, chaque vers pouvant être remplacé par l'un des 9 autres qui lui correspondent. Il a ainsi montré, sous une forme poétique et humoristique, ce qu'on pouvait faire en combinant des fragments de phrases, tous compatibles grammaticalement les uns avec les autres.

Dans le même esprit, un «*Guide à l'usage des apparatchiks débutants pour un discours universel*», publié par la Gazette de Varsovie a connu un vif succès, et nous vous en proposons ici une libre adaptation. Toute ressemblance avec des discours existants…

Pour utiliser ce tableau (p. 80), il suffit de lire de gauche à droite n'importe quel segment de phrase dans la première colonne, puis n'importe quoi dans la seconde, et ainsi jusqu'à la quatrième colonne, autant de fois que vous le souhaiterez.

Chers camarades/amis/confrères,	L'aboutissement de nos années d'effort et de travail	nous permet aujourd'hui d'être fiers	de notre entêtement à réussir notre mission
Par ailleurs	Le dévouement sans failles de nos collaborateurs	garantit, aujourd'hui et demain, la grande qualité	de nos résultats
C'est ainsi que	le modèle de société que nous proposons	favorise l'acceptation par toutes les classes sociales	de nos nouvelles manières de concevoir la vie politique
Mais ne négligeons pas le fait que	la vie sociale de la nation	repose sur la certitude	de la permanence de la paix et de l'emploi
Il faut toutefois signaler que	l'émergence d'un état fort et serein	entraîne le développement et le renforcement	de la valeur de nos groupes d'opinion
Aussi, n'oublions jamais que	la richesse, ou plutôt la prospérité du pays	passe par l'accroissement	de notre richesse et de notre pouvoir
Chers concitoyens	l'avenir, qui est entre nos mains à tous	nous appelle au dépassement	de nos potentialités

Vous pouvez vous aussi construire un tableau semblable, sur le modèle par exemple des recommandations que fait la mère à sa fille, des compliments, des discours de réception, des exhortations de prêcheur, ou des déclarations d'amour fleuve.

Faites vous-même votre histoire, ou les trois petits pois

Nous abordons ici une phase où ceux qui ont l'esprit «mathématique» pourront en même temps faire de la littérature, car s'il est une technique d'écriture obstinément liée à la géométrie, à l'algèbre, aux graphes, c'est bien la littérature combinatoire. Son ancêtre, la poésie factorielle, existe depuis le XVIIe siècle, mais elle était déjà connue sous la forme de poèmes en latin monosyllabique depuis la fin du XVe siècle. En 1965, le premier roman factoriel est édité : ses pages ne sont pas reliées et peuvent être lues dans n'importe quel ordre. Outre ses *Cent mille milliards de poèmes* déjà cités, R. QUENEAU, avec *Un conte à votre façon* opte pour un tracé de «graphe bifurquant», parsemé de circuits imbriqués et de renvois propres à permettre des quantités de lectures différentes.

Mais, ne vous affolez pas, point n'est besoin d'être mathématicien, la simple logique suffit amplement pour monter des scénarios satisfaisants.

Voici quelques extraits de ce que propose R. QUENEAU [1].

«1. Désirez vous connaître l'histoire des trois alertes petits pois ?

   Si oui, passez à 4

   Si non, passez à 2

2. Préférez-vous celle des trois minces grands échalas ?

   Si oui, passez à 16

   Si non, passez à 3

3. Préférez-vous celle des trois moyens médiocres arbustes ?

   Si oui, passez à 17

   Si non, passez à 21

4. Il y avait une fois trois petits pois vêtus de vert qui dormaient gentiment dans leur cosse. Leur visage bien rond respirait par les trous de leurs narines et l'on entendait leur ronflement doux et harmonieux.

---

1. *Oulipo*, Idées, Gallimard, 1973.

Si vous préférez une autre description, passez à 9

Si celle-ci vous convient, passez à 5.»

Et le conte se déroule, au fil des choix du lecteur, les trois échalas et les trois arbustes assistent aux ablutions des trois alertes petits pois, qui «se voyant ainsi zyeutés (…) s'ensauvèrent» et coururent se rendormir dans leur cosse.

La littérature enfantine propose également des histoires à choix multiples : l'un des premiers livres de ce genre, «*Histoire comme tu voudras* [1]», de Marie-Christine HELGERSON et Gérard FRAN-QUIN donne le choix entre l'histoire de la princesse aux yeux d'or, de la méchante sorcière aux dents de loup et au nez de corbeau, ou celle de Françoise qui s'ennuyait parce qu'elle ne lisait jamais d'histoires. Evidemment, les trois héroïnes se rencontrent parfois, dans un ordre différent, et il est impossible de lire en continuité au fil des pages.

Toujours dans cette veine de lecture impliquante basée sur des choix qui engagent le lecteur, outre les très nombreux contes fantastiques et jeux de rôle, on peut noter de façon anecdotique que ce procédé est utilisé pour induire des comportements et des changements d'attitude, comme par exemple ce fascicule publié par la Caisse Nationale de Prévoyance (1986) :

Un jeune couple souhaite acheter un magnifique salon en cuir, mais il manque un peu d'argent :

«1. Vous empruntez la somme dont vous avez besoin (allez en 8)

2. Vous préférez remplacer votre voiture (allez en 5)

3. Vous décidez de faire construire une maison (allez en 5)

4. Vous préférez épargner avant d'envisager des dépenses (allez en 5)»

Que vous ayez envie de créer une histoire ou de vous monter plus didactique en transformant une manière de voir les choses chez votre lecteur (vous pouvez par exemple décider de raconter quelque chose qui formera au code de la route les enfants en âge d'aller à l'école tout seuls), cette manière de procéder offre un éventail de possibles en un minimum d'espace, tout l'intérêt tient à la rigueur de la construction et à l'adéquation, grammaticale et syntaxique d'abord, des différentes parties mises bout à bout.

---

1. Albums du Père Castor, Flammarion, 1978.

Les méthodes décrites dans ce chapitre ont pu vous paraître bien formelles, mais dites-vous qu'elles sont également garantes d'une écriture «quoi qu'il arrive» puisque vous êtes dégagé de l'obligation de construire des histoires monolithiques, et qu'à partir de modèles simples, vous pouvez à tout moment stimuler votre imagination, et improviser un petit quelque chose qui vous réjouira.

V. Pour une rhétorique sans larmes

En créant, en jouant avec les mots, avec les doubles et triples sens, vous commencez à connaître vos possibilités, vos envies, vos préférences, et peut-être vous êtes-vous fugacement demandé, ici ou là, si quelque chose pourrait être réutilisable dans votre vie sociale et professionnelle.

C'est à une petite incursion vers ces rivages que nous vous convions maintenant, un détour vers le développement de vos capacités à argumenter, à convaincre.

L'une des caractéristiques de ce chapitre est de permettre également le transfert des acquisitions de l'écrit à l'oral.

1. Où l'on voit comment découvrir et s'assurer certains effets

Trouver des arguments, et pas seulement dans l'escalier ou après avoir répondu et envoyé la lettre exposant notre opinion, le texte expliquant nos propositions, c'est souvent notre préoccupation à tous, à des moments où nous souhaitons emporter l'adhésion.

Sans prétendre résoudre ces questions délicates où «l'art» se mêle à la logique, je vous propose trois exercices qui peuvent aider à la mise en place de quelques structures facilitantes.

Le schéma en soleil

C'est une manière de procéder peut-être connue par certains d'entre vous, fort commode pour trouver rapidement des arguments et les varier de façon certaine.

Il y a toujours plusieurs façons d'aborder un problème, qu'il concerne par exemple le port du pantalon, la taxe sur les alcools et tabacs, la lutte contre le nucléaire ou l'habitude de s'asseoir à table pour prendre ses repas.

En général, faute de méthode claire, on balaye les champs possibles en se fiant à l'intuition et l'esprit d'à propos. Mais on peut souhaiter systématiser cette manière de faire.

• **Comment procéder ?**

Il faut imaginer ou dessiner un point au centre d'une page, l'entourer d'une dizaine de flèches convergentes, correspondant à chaque manière possible d'envisager le thème traité, et sous-tendant en fait des arguments caractéristiques.

Prenons par exemple la coutume du baise-main et étudions la suivant plusieurs axes :

– *Un axe historique.* C'est en général une manière de délimiter le terrain, de fonder le sujet, et, avantage non négligeable à l'oral, de commencer à réfléchir à la suite. L'origine du baise-main est ancienne, attestée dans notre culture.

– *Un axe économique.* En effet, il existe toujours des répercussions ou des explications économiques, et l'argument aura d'autant plus de chance d'être entendu qu'il surprendra. On pourrait prétendre que ce baise-main, par exemple, n'existe que parce que les belles dames souhaitaient étaler leurs somptueuses bagues, et par là leur niveau social.

– *Un axe politique,* correspondant à des visées plus stratégiques et plus globales. Pour garder notre exemple, cette coutume permet une mise en relation directe dans un rapport de déférence affichée. On peut penser aux rapports de force qui se sont ainsi dévoilés.

– *Un axe culturel,* qui proposera notamment des explications à des comportements, à des attitudes personnelles, familiales, sociales, et on pourrait prétendre que, faisant ce geste, on contribue à sauvegarder une délicatesse et une galanterie bien françaises, que l'on préserve un patrimoine. Les féministes auraient bien sûr beau jeu de s'indigner d'une telle hypocrisie masquant en fait des rapports de domination…

– *L'axe sociologique ou social*. Le point de vue est élargi dans la mesure ou l'on interprètera des manières d'être et de réagir comme des indicateurs d'appartenance à telle ou telle classe sociale, ce qui est assez évident de nos jours dans le cas du baise-main.

– *Un axe psychologique* visant à expliciter le sous-jacent, à proposer une lecture, une interprétation du problème, de ses causes ou des attitudes observées. On pourrait donc parler de sublimation des pulsions sexuelles aussi bien que de dissimulation de l'agressivité ou de plaisir à un stade oral en ce qui concerne notre exemple.

– *Un axe médical* qui, s'il n'est pas toujours utilisable, permet souvent un angle d'approche nouveau, et nous donne ici quelques arguments amusants ou sérieux, comme de prôner l'excellent exercice physique que cette pratique représente ou encore de démontrer la bonne asepsie de ce baiser-là.

– *Les axes éthique, philosophique, religieux* ouvrent d'autres perspectives encore, en mettant en avant des valeurs plus spirituelles. Avec de l'objectivité ou de l'humour, on peut redonner une force et une actualité à des arguments puisant dans ces domaines, et cela quelle que soit l'option défendue. Baiser une main féminine peut amener l'expression de sentiments de révolte ou de regret face à la représentation de la femme que cet acte véhicule. Mais on pourrait tout aussi bien y trouver une preuve de respect et d'amour devant la Femme, femme-mère, femme, créature de Dieu.

– *L'axe «scientifique»*, autour de développements, de recherches ou de découvertes récentes, placerait le débat sur un terrain encore différent.

– *Les techniques et les technologies* sont également à explorer, et un apport d'informations peut parfois préparer le destinataire à une remise en question de ses opinions, ou à une lecture plus attentive des positions d'autrui.

Tous ces axes ne sont pas à utiliser systématiquement, mais il est rapide et simple d'en faire un inventaire avant de commencer à bâtir son texte, et en cherchant un peu selon ce procédé, chacun pourra découvrir un ou deux axes complémentaires. L'ordre proposé ici n'est qu'indicatif. C'est à vous de l'adapter à votre projet.

Le but à atteindre

Il n'est pas de «monter» une argumentation sans faille, qui n'existe d'ailleurs pas, mais plutôt de se donner un moyen de considérer une question sous tous ses aspects, de mettre en valeur des arguments parfois inattendus, de débroussailler un terrain pour pouvoir classer et organiser ses idées, et de rompre l'éventuel caractère répétitif de ce que l'on écrit : on se cantonne en effet souvent à quelques éléments que l'on juge incontestables et décisifs.

Précautions d'emploi : On obtient une juxtaposition d'idées qu'il faut assembler et dynamiser dans un ensemble cohérent, selon un plan vigoureux, pour la conception duquel on peut se reporter aux manuels existants.

Seize effets persuasifs

On peut aussi désirer être plus percutant, plus virulent ou plus offensif. L'écriture publicitaire constitue un spécimen intéressant de cette manière de faire. Elle a de l'impact, à n'en pas douter, puisqu'elle se perpétue, et l'on peut essayer de jouer avec ses ressorts cachés.

Je vais reprendre ici seize «effets» répertoriés par Lionel Bellenger (*L'expression orale* [1]) sur l'usage desquels il invite d'ailleurs à la prudence, dans la crainte où il est de voir les utilisateurs les employer sans nuances, obtenant ainsi un effet contraire à celui recherché.

La consigne d'écriture est simple, il s'agit d'intégrer successivement chacun de ces «effets persuasifs» dans une argumentation homogène. Pour une première expérience, il est plutôt conseillé de ne pas chercher la difficulté et de conserver l'ordre dans lequel ils sont présentés.

Vous pouvez évidemment essayer de vendre votre vieux réfrigérateur ou une balle de tennis usagée, mais sans vouloir provoquer à tout prix un acte d'achat, il peut être intéressant de viser «simplement» (!) un élargissement de point de vue, un changement d'attitude.

---

1. Editions E.S.F., 1981.

Voici donc les seize effets :

1. *L'effet démonstratif* consiste à présenter le problème, le thème traité en montrant son intérêt ou son importance, puis à enchaîner avec un lien logique, des causalités, des syllogismes, des déductions.

Pour être plus claire, j'illustrerai mon propos par des exemples induits par deux thèmes :

– L'argumentation en faveur des femmes qui ne veulent plus travailler : de nos jours, la plupart des femmes travaillent ou souhaitent travailler, mais de plus en plus nombreuses sont celles qui essaient de retourner dans leur foyer, après des désillusions amères ou le simple constat de l'état d'épuisement physique et nerveux dans lequel les met la juxtaposition de leurs activités de mère, d'épouse et de salariée.

– Le texte visant à persuader un nageur de mettre la tête sous l'eau : un nageur ne devient vraiment efficace que lorsqu'il immerge totalement son corps, en effet, la résistance opposée par le cou et la tête freinent l'avance et les progrès de façon significative.

2. *L'effet de compétence* fonde votre crédibilité, montre que vous connaissez bien le problème et que vous appuyez vos assertions par des chiffres, des exemples, des faits ou des témoignages.

– D'ailleurs, lorsque l'on fait froidement les comptes, on voit bien vite qu'en moyenne 75 % des salaires féminins partent en frais divers, garde d'enfants, impôts et garde-robe «professionnelle».

– Nestor Marbu, l'entraîneur olympique que j'ai rencontré récemment, prétend qu'un nageur moyen gagne 5 secondes aux 100 mètres et que tout se passe comme si notre poids diminuait de 10 kilos ; d'où de meilleures performances et une grande économie d'énergie.

3. *L'effet solutionneur* ou effet du «Y'a qu'à-faut qu'on». Plus votre solution sera inattendue et originale, plus elle aura de chances de séduire celui qui vous lira. L'impact est créé par la nouveauté, mais il n'est durable que lorsque la solution est accompagnée de conditions de réalisation.

– Si les foyers s'équipaient de machines à coudre et à tricoter et si les maîtresses de maison apprenaient à confectionner tous les

vêtements, les économies réalisées par les ménages compense-
raient largement les pertes de salaires.

– Si vous êtes stressé par cette position, il n'y a qu'à revenir
mentalement en arrière et vous imaginer dans le ventre de votre
mère, à l'époque cela ne vous angoissait pas, vous retrouveriez le
même bien-être.

4. *L'effet de méthode*. Vous devenez là un personnage-clé car
vous êtes capable de faire la synthèse de toutes les opinions autour
du problème qui vous préoccupe, vous les organisez pour mieux
mettre en valeur votre position et, en vous lisant, on va «naturellement» vers elle. Par vos résumés, réfutations et explications, par
la hiérarchisation des faits et des idées que vous proposez, vous
êtres celui ou celle qui donne les moyens de comprendre.

– Donc, en résumé, stress, temps et argent qui filent entre les
doigts, un mari et des enfants que l'on ne voit plus, une vie de
famille réduite à peu de chose, une maison mal entretenue et des
revenus de toute façon toujours insuffisants, à quoi il faut ajouter
la lente dégradation de la santé de tous, faute de temps pour
préparer des repas vraiment équilibrés ; tout amène à réviser profondément l'opinion générale en ce qui concerne le travail des
femmes.

– Essayez de comprendre les raisons de votre peur. D'abord,
bien que sachant nager, vous croyez que vous allez couler instan-
tanément, ensuite, vous craignez qu'une fois la tête immergée,
vous vous remplissiez d'eau, par les yeux, le nez, les oreilles et la
bouche, vous comprenez facilement l'absurdité de telles idées. La
connaissance des lois de la pesanteur et de la morphologie humaine devrait vous rassurer.

5. *L'effet d'évidence* consiste à mettre en avant des valeurs, des
idées socialement et culturellement incontestées, et comme le
souligne Lionel Bellenger «il peut puiser dans des valeurs stables
(honnêteté, loyauté, logique, économie, confort) ou des lieux
communs, dictons ou proverbes».

L'argumentation se basera donc sur des certitudes non démon-
trées, et/ou des évidences.

– Il faut bien admettre d'autre part que les femmes ont changé
et leurs aspirations aussi. L'évolution est la loi de l'espèce humaine.

– Vous pensez ne pas pouvoir y arriver. Mais ce sont des peurs infantiles dont vous devriez vous débarrasser. Il y a des moments où il faut savoir se prendre en mains.

6. *L'effet de bonne foi* ou les «M'enfin» de Gaston Lagaffe. «Après tout ce que j'ai fait pour vous»… C'est l'expression de la bonne volonté incomprise et bafouée, assez difficile à faire passer à l'écrit, on peut rappeler par exemple les efforts pour faire comprendre ou résoudre le problème.

– Elles ont souvent accepté de passer les plus belles années de leur vie à réaliser d'obscures tâches, pourtant nécessaires, la société ne devrait-elle pas leur donner les moyens de retourner dans leurs foyers dès qu'elles en expriment le désir ?

– Je ne voudrais pas me donner tout ce mal pour rien, alors je compte sur votre coopération et votre motivation à progresser et à mettre enfin la tête sous l'eau.

7. *L'effet de principe*, c'est «ce qu'il faut faire», sans discussions possibles, c'est une position monolithique, et aucune alternative n'est envisagée ni envisageable.

– Il faut laisser la place aux jeunes gens, hommes ou femmes, il est juste et normal que chacun fasse son expérience, et aucune pression ne devrait pouvoir être faite sur les femmes qui souhaitent cesser leur vie professionnelle.

– Je vais donc vous exposer ma méthode et vous suivrez fidèlement mes consignes, la réussite est à ce prix, vous comprendrez après.

8. *L'effet de porte-parole* correspond à la tendance, ici volontaire et maîtrisée, que nous avons parfois de parler au nom de tous, ou de l'intérêt général, pour faire passer une opinion individuelle. On ne dit pas «je», on se pose en représentant autorisé d'un groupe réel ou moral.

– Les femmes se sont trop souvent effacées devant les impératifs économiques de la société de consommation ; aujourd'hui, elles disent «non».

– Tous ceux qui m'ont fait confiance s'en félicitent et seraient prêts à recommencer s'il le fallait, certains sont même maîtres-nageurs.

9. L'*effet de doute* résulte de la mise en cause des contre-arguments que l'on pourrait nous opposer, ou que l'on sait être

généralement avancés dans ces cas-là. La stratégie consiste à les saper par la base avec des formules du type «On pourrait certes m'opposer que… mais…», ou «Certaines prétendent que…, mais en réalité…»

Une idée d'exploitation de cet effet consiste à laisser lire entre les lignes que tout n'est pas aussi clair que les «opposants» le présentent.

— Et d'ailleurs, qui sont-ils, ces ardents défenseurs du travail féminin ? Quels avantages cachés retirent-ils des situations ainsi créées ?

— La peur ou l'appréhension que vous dites éprouver ne sont en fait que de grossiers subterfuges pour vous éviter toute remise en question.

10. *L'effet d'intimidation* consiste presque à exercer un chantage sur l'autre, à dramatiser tellement la situation qu'il ne peut qu'hésiter à s'opposer, les risques paraissant trop importants.

— A trop sous-estimer ces revendications, nous risquons de frôler une explosion, ou pire encore un désinvestissement progressif des femmes dans leur travail, et ce n'est que lorsqu'il sera trop tard que nous percevrons l'étendue du problème.

— Si vous n'êtes pas capable d'exécuter les mouvements que je vous indiquerai, c'est que votre blocage relève de la psychiatrie, et dans ce cas-là, la meilleure méthode au monde se révèlerait impuissante.

11. *L'effet d'implication*, assez habile, tend à empêcher une distanciation critique par la mise en cause personnelle du destinataire, soit en lui rappelant l'une de ses précédentes positions, qui allait justement dans notre sens, soit en considérant qu'il ne peut être en désaccord et en l'englobant dans la démonstration.

— En son for intérieur, chacun de nous s'est déjà demandé avec ahurissement souvent, admiration parfois, où la plupart des femmes au travail trouvaient l'énergie pour mener de front deux ou trois vies bien remplies.

— Si vous lisez ces lignes, c'est que vous êtes motivé, c'est que vous voulez dépasser ce handicap, vous faites partie de ceux qui surmontent les difficultés qu'ils rencontrent, vous allez plonger.

12. *L'effet d'exemplarité* se traduit souvent par des formules encourageantes du type «Si je l'ai fait, vous pouvez également le

faire» Lionel Bellenger compare cet effet à un «aiguillon d'intimidation ou d'incitation». Mais il faut évidemment que le modèle
proposé soit attractif – à moins qu'il ne s'agisse, et cela est également efficace, de «châtiments» exemplaires.

– Ma mère, mes sœurs, mes tantes n'ont jamais travaillé à
l'extérieur et ce sont les personnes les plus heureuses du monde,
leur joie de vivre et leur épanouissement donnent à réfléchir et
suscitent l'envie.

– D'ailleurs, je vais vous faire une confidence, je suis moi-
même passé par les affres et les hésitations que vous connaissez,
et je suis la démonstration vivante de l'efficacité de ma méthode.

13. *L'effet de complicité* «Nous sommes bien sûr d'accord
sur…» résume l'esprit de cet effet ; il s'agit de désamorcer la
méfiance de l'autre en lui montrant le peu de différences qui nous
sépare en fait. Une apparence conciliante doit paraître à travers le
ton et les mots employés.

– Entre nous, bien des problèmes d'emploi, bien des séparations
douloureuses seraient évités si toutes les femmes savaient reconnaître le bonheur qu'il y a à rester chez soi, à jouir d'un bonheur
calme.

– Nous savons l'un et l'autre que le premier pas est difficile, je
suis convaincu qu'ensemble, nous allons y arriver, il vous suffit
d'être attentif et confiant, ne respirez plus. Prenez votre souffle.
Regardons ensemble le fond de la piscine.

14. *L'effet d'insistance*, ou «matraquage», est facilement repé-
rable à l'écrit, il prédomine dans le langage publicitaire, mais sans
se laisser aller à des excès, on peut considérer que redondances et
paraphrases en sont des manifestations littérairement acceptables.

– On doit le dire et le répéter, laissons les femmes retourner dans
leur foyer, contribuons à la construction d'un nouvel équilibre
social et familial, nous devons nous pénétrer de cette idée et
fabriquer la société de demain.

– Résumons : confiance, courage et confiance encore. Cette
méthode est efficace à 100 %, ne doutez pas, ni de vous, ni de moi.
Vous serez peut-être demain le champion de votre club.

15. *L'effet de bonne volonté* est plutôt désarçonnant puisqu'on
va reconnaître l'absolu bien-fondé de la position adverse, son
intérêt, sa justesse… mais. C'est un peu sur le schéma «Ah !

comme vous avez raison de... mais...» que cet effet trouve son essence.

– Certes, les femmes qui travaillent sont totalement justifiées, les maris qui les y poussent aussi, mais la seule chose qu'on peut leur dire, c'est qu'ils se trompent d'époque ; laissons le travail aux femmes seules, aux hommes et aux chefs de famille des deux sexes.

– Vous estimez, à juste raison, que rien ne presse, que votre motivation s'affirme de jour en jour et qu'il ne faut rien brusquer, d'accord. Mais souvenez-vous aussi que le temps qui passe renforce vos inhibitions, et qu'à votre insu, votre peur de l'eau augmente.

16. *L'effet émotionnel* pourrait se scinder en deux sous-effets, l'un d'eux produit par la contagion d'une émotion visible ou affichée, par la manipulation de l'affect individuel ou collectif que savent opérer les tribuns, les acteurs, les romanciers et les poètes, pour n'en citer que quelques-uns. L'autre, moins noble, est provoqué par exemple par le rappel d'un événement qui touche le lecteur, par une allusion à un détail, un fait qui le percute de plein fouet et contre lequel il ne s'est préparé ni défense psychologique ni position de repli.

– Chères concitoyennes, chers concitoyens, nous entamons une ère nouvelle, solidarisons-nous avec les justes revendications de nos compagnes, de nos sœurs, ne soyons plus des fossiles sociaux !

– Et avant de commencer, allez vous observer devant une glace. Etes-vous satisfait de votre apparence physique ? Votre corps est-il assez musclé, fin et puissant ? La natation et le dépassement de soi sont les garants de votre bonne forme. Alors, commençons !

– Et l'on pourrait ajouter un dix-septième effet, *l'effet comique*, très difficile à contrôler, dont le maniement est délicat et les résultats imprévisibles. On peut s'appuyer sur une complicité culturelle, sociale ou politique pour limiter les risques, à condition de bien connaître le destinataire...

> **Exercice**
>
> Utilisez ces 16 effets dans un texte argumenté, visant à proposer une nouvelle manière d'être, de se nourrir, de se comporter, un sport de votre invention, ou un produit miracle totalement imaginaire.
>
> *Variante* : vous comprenez maintenant pourquoi Lionel Bellenger invite à la prudence, et si vous voulez voir certains de ces effets à l'œuvre, récoltez quelques lettres publicitaires et amusez-vous à les repérer. C'est quelquefois drôle et grossier, d'autre fois plus subtil, mais la catégorisation qu'il propose fonctionne bien.

La structure volée

Dans un projet d'écriture persuasive, l'organisation des idées est une priorité, et vous pourrez vous y confronter à partir de structures empruntées ici ou là, au gré de vos lectures. Les articles polémiques, les conclusions d'essais, les prises de positions vous fourniront ce matériau de base sans lequel l'exercice proposé maintenant serait irréalisable.

L'idée est d'utiliser l'ordre et la logique de quelqu'un d'autre... avant d'inventer les vôtres. Cet exercice vous montrera également quelques organisations auxquelles vous n'auriez peut-être pas pensé. Vous devrez donc vous attacher uniquement à la structure, à l'agencement des mots de liaison, dans les phrases et entre les phrases.

A titre d'exemple, utilisons un texte de Frédéric Joliot [1], *«Le parti de Prométhée»* démonstration vigoureuse des bienfaits de la science et des découvertes scientifiques.

Vous ne conserverez que la structure et c'est vous qui la compléterez du thème de votre choix. Pour plus de facilité, les termes de F. Joliot sont en italiques et les articulations sont numérotées. Essayez de les suivre dans l'ordre : la contrainte est plus forte et le résultat meilleur.

Là encore j'illustrerai mon propos par un exemple fantaisiste :

1. Il y a de cela ... (notion de temps), il était ... que ...

– Il y a de cela quelques décennies, il était considéré comme choquant et malséant de mâcher du chewing-gum.

---

1. Cité par D. BARIL et J. GUILLET, *Techniques de l'expression*, Sirey, 1975.

2. Certes …

– Certes, quelques pionniers n'hésitaient pas à braver l'opinion et à sembler «s'américaniser».

3. En dépit des … et des …, la … allait sans cesse …»

– En dépit des sarcasmes et des remarques vexatoires, le nombre d'adeptes de cette pratique allait sans cesse croissant.

4. De plus en plus fréquemment, depuis …,

– De plus en plus fréquemment, depuis une dizaine d'années, on assiste à des renversements de tendance qui ne peuvent nous laisser indifférents.

5. Certains même vont jusqu'à …

– Certains même vont jusqu'à vanter les bienfaits physiques et psychologiques qui résultent de cette pratique.

6. En dépit des…, je suis de ceux qui…, et ils sont heureusement encore nombreux, que …

– En dépit des expériences désastreuses qu'ont pu faire certains porteurs de prothèses dentaires, je suis de ceux qui soutiennent, et ils sont heureusement encore nombreux, que mâcher à bon escient ne peut que développer la concentration et la sociabilité.

7. La … est en outre, et c'est l'un de ses plus hauts titres, un …

– La gomme à mâcher est en outre, et c'est l'un de ses plus grands mérites, un élément fondamental d'égalité entre les hommes, couleurs et classes sociales confondues.

8. Il n'est pas, selon moi, …

– Il n'est pas selon moi, de technique mieux adaptée à la méditation et à l'élévation de l'esprit que celle qui permet de s'abstraire de l'environnement par le simple effet d'un mouvement mécanique des mâchoires, propre à libérer le mental et le physique de leurs tensions.

9. Et on pourrait se demander si …

– Et on pourrait se demander si cette pratique universellement partagée ne constituerait pas le plus sûr lien d'amitié et de complicité à travers le monde. Pour ne prendre qu'un exemple modeste, il faut se souvenir de ce qui s'est passé autour du chewing-gum à la Libération, des foules en liesse et du symbole que déjà, de façon prémonitoire, la gomme à mâcher devenait.

10. Si …, c'est sur les … que …

– Si l'utilisation en tant que telle du chewing-gum est, tant bien que mal, tolérée, c'est sur le destin des boulettes usagées que se concentrent la plupart des critiques, et c'est là un fait que nous déplorons ou que nous déplorerons tous un jour ou l'autre.

11. En réalité, il serait plus ... de (faire porter ce jugement) non sur la ..., mais sur les ...

– En réalité, il serait plus juste de traiter les mâcheurs non comme des pollueurs et des irresponsables, mais comme des incompris, auxquels aucun réceptacle satisfaisant n'est offert, contrairement aux fumeurs, qui d'ailleurs, notons-le, ne partagent pas leurs cendriers...

12. (Suit ici une série d'exemples et de contre-exemples montrant qu'effets positifs et négatifs se contrebalancent).

– Le chewing-gum colle, c'est vrai ; et d'ailleurs qui ne s'en est jamais servi pour réparer une petite fuite d'air, ou d'eau ? pour fixer au mur une photographie ?

On lui impute des brûlures d'estomac, mais le jour est proche où on lui intègrera des substances médicamenteuses, qui seront ainsi prises avec plaisir par tous, notamment les enfants, on le voit déjà pour le fluor.

L'école ne le tolère pas, mais pourtant quel meilleur moyen d'inciter à ne parler qu'à bon escient ? Et quant à ceux qui parviennent à le faire tout en mâchant, il faut mesurer l'excellent exercice de prononciation que cette performance constitue.

On a dit aussi que cette pratique était laide ou enlaidissante ; se représente-t-on le remarquable massage de l'hypophyse, de la thyroïde, de l'oreille interne, sans parler du renforcement des tissus gingivaux que ce mouvement alternatif et prolongé assure ?

13. En fait, il est indéniable que ...

– En fait, il est indéniable que les détracteurs du chewing-gum ne sont que de dangereux révolutionnaires, car il est bien connu en politique qu'un individu qui mâche ne défile pas en criant des slogans, il a choisi. Il a même choisi le camp de «l'american way of life», et le proclame symboliquement.

14. Suffirait-il donc, comme il a été suggéré, de ..., de ..., et de ...

– Suffirait-il donc, comme il a été suggéré, d'interdire toute mastication publique, de fermer les unités de production et de détruire les stocks existants ?

15. Il est certain que ...

Il est certain que cette pratique ne peut être réglementée, et que la seule contemplation d'une vache ferait ressurgir avec plus de violence le désir légitime de mâchonner, d'accéder à cette rêverie pensive et sereine.

16. Mais ... nous savons, par exemple, que ...

– Mais chaque citoyen responsable et soucieux de l'avenir doit savoir qu'il n'existe aucune autre distraction aussi durable, d'une longévité aussi remarquable et d'un coût de production aussi bas.

17. Il est important de ... et de ...

– Il est important de bien comprendre les aspirations de nos concitoyens, même les plus défavorisés, et de promouvoir ce passe-temps économique et paisible.

18. Pour pouvoir combattre efficacement ... il nous faut ...

– Pour pouvoir combattre les inégalités, les disparités sociales et culturelles, le stress et la violence gratuite, il nous faut répandre cette habitude, unificatrice à l'échelle planétaire.

19. Non seulement il serait fou de ..., mais il nous faut, au contraire ...

– Non seulement il serait fou de tenter d'endiguer cette passion, qui fait partie des meilleures pulsions de l'homme, mais il nous faut, au contraire, la faire partager par le maximum d'individus pour espérer atteindre enfin la paix et l'harmonie, et peut-être même un jour à l'échelle interplanétaire serons-nous tous unis par ce merveilleux langage non-verbal.

Prolongements et variantes

N'importe quel texte argumenté pourra être utilisé pour écrire ce que l'on pourrait nommer un «contre-texte». Il suffit de prendre le contre-pied de chaque assertion, de chaque démonstration. C'est très facile et assez réjouissant. Vous pouvez même faire cela à partir de vos propres textes...

2. Où l'on voit comment aller du plus simple au plus complexe, du plus court au plus long.

Maintenant que vous avez quelques structures de base, vous pouvez vous entraîner à diversifier et à accroître votre vocabulaire, à apprivoiser en quelque sorte l'art de la persuasion et de l'explication par le choix des mots.

La gradation est une figure rhétorique bien connue, facilement utilisable et garante de résultats. C'est elle par exemple que l'on retrouve dans *La métamorphose* de Frank Kafka, et vous allez l'expérimenter à travers les trois exercices qui suivent.

Degrés

Prenez une phrase simple, essayez d'en changer peu à peu les sens en jouant sur les degrés de signification des mots. Par exemple, à partir de «Il se demandait avec une pointe de curiosité ce qu'elle allait répondre», on peut arriver à : «Il se demandait avec une angoisse sans nom ce qu'elle allait hurler» ou, dans l'autre sens «Il se demandait avec délectation ce qu'elle allait lui susurrer», sans compter toutes les étapes intermédiaires, et tous les extrêmes.

Crescendo

Ce titre est celui d'une nouvelle de Dino Buzzati, *Le rêve de l'escalier* [1], et nous en garderons le principe. L'intrigue de Dino Buzzati commence par la banale description, en six lignes, de l'entrée de Maître Fassi chez son amie Mademoiselle Annie Motleri un jour de pluie. Des gouttes ruissellent encore sur son pardessus noir. «Il entra en souriant et lui tendit la main».

Dans le second paragraphe, «Fassi entra à pas lourds et lui tendit la main». Ensuite, la description commence à s'assombrir, et Maître Fassi devient un peu moins jovial et sympathique. «Sur quoi l'homme entra d'un pas pesant et pour lui dire bonjour lui tendit sa main massive».

Au fil du texte, Annie Motleri devient également une «vieille fille» anxieuse et solitaire. Mais poursuivons avec les transformations du vieil ami Fassi : «Sur quoi le visiteur avança dans l'antichambre avec un fracas de pas comme s'il avait été un géant et pour lui dire bonjour il lui tendit sa grosse main musclée».

L'imperméable luisant de pluie fait peu à peu figure de carapace menaçante : «Sur le palier se tenait une forme vivante, massive et puissante, de couleur noire, toute à écailles, avec deux petits yeux pénétrants et des espèces d'antennes visqueuses qui se tendaient vers elle en tâtonnant». Puis la scène emprunte au cinéma fantastique : «Elle se trouva nez à nez avec un être noir recouvert d'une carapace luisante et noire, qui la fixait en tendant vers elle deux pattes noires qui finissaient chacune par cinq griffes blanchâtres (…) Mais l'autre, appuyant de tout son énorme poids sur le battant, l'écarta toujours davantage, et finit par s'ouvrir un passage et par entrer, et le parquet craquait sous sa masse gigantesque».

L'avant-dernière scène voit le meurtre sanglant de Mademoi-

---

1. Livre de Poche, 1980, p. 9 à 12.

selle Motleri «(…) il fit jaillir ses tenailles de fer, et enfonça ses gros ongles dans le tendre petit corps, dans la chair, dans les viscères, dans l'âme sensible et souffrante».

Mais le dernier paragraphe nous apprend qu'hélas personne n'a frappé à cette porte. «Qui pourrait jamais frapper à cette porte ?» Et nous comprenons alors le drame de la solitude absolue que vit Annie Motleri, ses fantasmes seuls alimentant ses journées : «Le palier est vide. Vides les dalles du palier, sous la lumière grise qui vient de la verrière grise et ne pardonne pas, la rampe est noire et immobile, immobile la porte de l'appartement d'en face, tout est immobile, vide et perdu à jamais. Il n'y a personne. Le néant du néant du néant.

Mais l'antique regret est là. L'affliction inguérissable est là. La maudite espérance des anciennes années est là. Le monstre invisible est là. Lentement il enfonce ses aiguillons dans le cœur solitaire»

Exercice

Pour réaliser cet exercice, vous pourrez si vous le souhaitez passer d'un plan concret à un plan abstrait, un peu à la manière de Dino Buzzati, mais vous pouvez également décrire une transformation insidieuse, sans chute symbolique, en restant au plus près des images qui vous viendront.

Notez néanmoins que votre texte final ne doit pas être nécessairement horrifique, le crescendo peut être de bonheur, de surprise, de gourmandise pourquoi pas…

Votre travail consistera donc à reprendre cette idée de lentes transformations de situations, d'objets, ou de relations, sans trop laisser deviner votre chute - et peut-être l'idéal serait-il de ne pas la connaître vous-même. Laissez-vous guider par les images, par votre imaginaire, essayez de découvrir les potentialités de toutes sortes cachées dans des situations banales.

On peut par exemple imaginer un enfant qui, fatigué, se jette sur son lit et enfouit son visage dans un gros coussin à ramages, qui peu à peu commence à l'enserrer de lianes tentaculaires, ou alors le chat de la maison qui se précipite sur vous pour un gros câlin et se mue doucement en monstre exigeant et carnivore. Tous les besoins naturels, faim, soif, toutes les sensations corporelles peuvent être soumis à des exacerbations de ce type et donner lieu à des extrapolations plus ou moins réjouissantes.

Dérèglement

Toujours dans la même optique, nous abordons maintenant une consigne qui vous amènera à écrire quelque chose de beaucoup plus long, qui ne sera pas encore une nouvelle mais qui vous permettra de développer tranquillement une longue description.

L'idée est empruntée à J.G. Ballard dont les premiers romans explorent tous les cataclysmes possibles, leur lente montée, leur installation, puis la progressive et difficile acclimatation des hommes.

Dans *Le vent de nulle part* on assiste en spectateurs vaguement amusés d'abord, intrigués ensuite, aux assauts d'un vent dont la puissance ne va cesser de croître au fil des pages. Et c'est une véritable catastrophe qui va s'abattre sur la planète, face à laquelle chacun va essayer de passer des bricolages de fortune à des installations plus sophistiquées permettant la poursuite de la vie. On commence par ranger les bibelots précieux, susceptibles d'être projetés au sol à la faveur d'une fenêtre brisée ou d'une porte forcée par le vent, puis on s'aperçoit que les voyages sont devenus impossibles, qu'aucune voie de transport n'est praticable et que cette situation est mondiale ; les populations se réfugient à l'intérieur des terres, aménagent des abris souterrains, les barrages cèdent sous la poussée des eaux, les villes sont dévastées, et les survivants sont rares.

«Le vent se rua. Fonçant sur les boucliers, il arracha les plaques, rompit les câbles un à un, fit éclater les pylônes à leur base, s'engouffra par les brèches béantes.

Tout à coup la pression devint insoutenable. Dans un paroxysme titanesque, l'écran démantelé vola en morceaux, les plaques ployèrent, basculèrent, glissèrent, planèrent, rebondirent sur la pyramide, emmenant avec elles les effilochures des câbles, les assises des pylônes et des arc-boutants. Sans protection désormais, les engins lourds garés à l'abri des écrans labourèrent le sol, s'écrasèrent les uns contre les autres, et finalement rompirent leurs attaches pour rouler comme des tonneaux le long des faces inférieures de la structure, de plus en plus vite, avant de virevolter et de se perdre, projetés dans les ténèbres à la suite du ciel en déroute [1].

---

1. Ballard J.G., *Le vent de nulle part*, Livre de Poche p. 137-138.

Exercice

– Vous pouvez écrire, là encore, sur le mode dramatique ou sur celui de la comédie ou de la satire. La difficulté, et l'intérêt, de l'exercice résident en l'obligation où vous serez de varier votre vocabulaire, de chercher des images, des comparaisons, des exemples toujours différents, afin d'emporter votre lecteur dans la description de la catastrophe que vous aurez choisi de raconter. Vous vous attacherez plutôt au pouvoir évocateur des descriptions, l'intrigue romanesque et les raisons «scientifiques» que vous serez peut-être tenté d'introduire dans votre texte ne constituent pas, dans cet exercice, l'essentiel de la consigne, elles sont même déconseillées.

Pour vous aider à démarrer, profitez d'un jour où le vent, la pluie, l'humidité, le bruit, la musique de vos voisins, semblent devoir durer indéfiniment.

Les marées pourraient ne plus monter et descendre, le soleil pourrait ne plus se coucher, le sommeil, la mort pourraient ne plus exister.

3. Correspondances

Nous allons maintenant revenir à des choses dont la structure vous est plus familière : le courrier, où vous pourrez tout à la fois vous défouler par rapport aux structures figées du style fleuri ou conventionnel qui caractérise la manière française de procéder, et réutiliser les structures argumentatives expérimentées p. 83-sq.

«Je vous fais une lettre»

Commençons simplement : vous allez raconter un événement, un incident, à une personne que vous connaissez peu, ou très bien, ce peut être le Président de la République, un copain d'école, votre concierge, votre médecin de famille… etc.

Lorsque vous écrirez, pénétrez-vous bien d'un niveau de langue donné, et maintenez-le tout au long de la lettre. Il pourra être argotique, familier, courant ou soutenu.

Une fois l'événement trouvé, vous pouvez changer votre destinataire, un peu à la manière de Queneau dans ses *Exercices de style* (nous vous en parlons décidément beaucoup).

La lettre folle

Vous allez cette fois composer une lettre assez délirante, à vrai dire, mais d'une construction irréprochable, pour obtenir quelque chose, (faveur, autorisation) qui sorte résolument du cadre du possible. Il faudrait que toutes les formules attendues soient représentées, même si c'est à votre chien qui perd vraiment trop ses poils que vous écrivez. Vous balaierez toute la gamme des arguments, sentiments, menaces ou promesses pour arriver à vos fins. L'idéal serait que l'on ne puisse vous répondre par la négative, puisque vous auriez envisagé toutes les oppositions en les réfutant par anticipation.

C'est un travail très sérieux de recherche d'arguments qui vous permettra de réaliser un modèle de loufoquerie et de drôlerie. Il suffira de ne jamais considérer que l'on pourra finalement vous opposer un refus.

Demandez l'impossible : les pigeons qui roucoulent dans la gouttière, le miroir de votre salle de bains, la porte du couloir qui grince ou votre lit trop mou sont tout prêts à vous écouter attentivement. Tout comme d'ailleurs l'agent de police du coin de la rue, le plombier qui ne vient jamais ou le voisin que vous aimez en secret...

Variation possible et prolongement : si vous avez l'occasion de faire cette lettre en petit groupe, vous vous répondrez mutuellement, cela vous permettra de mesurer les failles de votre argumentation, et d'exercer votre esprit à la répartie lorsque vous démontrerez à votre cher correspondant que, malheureusement, non, vous ne pouvez accéder à sa demande pour telle et telle raison, là aussi irréfutable.

... La mauvaise foi la plus éhontée est conseillée.

La lettre du prisonnier

Que fait un prisonnier dans sa prison ? Il rêve de liberté. Peut-être même d'évasion. Pour la préparer, il a besoin de l'aide de complices à l'extérieur : mais comment communiquer avec eux sans que les gardiens, qui liront sa lettre, ne se doutent de quelque chose ? Il faut que le message d'évasion soit dissimulé, mais comment ?

Exercice

Fabriquez d'abord la phrase que le prisonnier veut adresser à ses complices (par exemple : «Envoyez-moi une lime dans une brioche»). Ensuite, dissimulez les mots du message en intercalant, entre chacun d'entre eux, six mots anodins ; les phrases ainsi obtenues doivent rester grammaticales. Exemple : «*Envoyez* une longue lettre au pauvre prisonnier, *moi*, qui languis tant de savoir si *une* amitié reste fidèle aux enfermés. Ma *lime* à ongles est cassée, et si *dans* votre bonté vous m'en offriez *une* autre, ainsi que quelques gâteaux, tartes, *brioches*, éclairs ou babas...»

Variante I :

Vous pouvez vous donner une autre règle pour dissimuler les mots : par exemple, placer les mots dangereux en diagonale (le premier mot, en premier de la première ligne, le second, en second de la seconde ligne, etc.) et «remplir» ensuite les lignes avec des mots anodins. Essayez d'inventer d'autres règles.

Variante II :

Le prisonnier manque de papier, il lui faut donc économiser en écrivant sa lettre en «français horizontal», c'est-à-dire en n'utilisant aucune lettre qui «dépasse» en haut ou en bas : il s'interdit donc d'employer les lettres, b, d, f, g, h, j, k, l, p, q, t, y (il écrit le Z de façon à ce qu'il ne dépasse pas !), «Il s'astreint ainsi à un lipogramme en douze lettres connu aujourd'hui en littérature sous le nom de «contrainte du prisonnier» (Paul Fournel, *Un incarcéré économe*, in *Oulipo III*, 2, p. 114).

Variante III :

Vous pouvez, pour finir, essayer de combiner les deux contraintes, celle des mots dissimulés et celle du lipogramme en douze lettres !

4. Jouez avec vos projections

Cette partie se propose de vous permettre de mesurer concrètement à quel point le choix d'un mot peut faire basculer un texte, à quel point également les points de vue sont subjectifs, même lorsque tout le monde pense parler de la même chose.

A quoi tiennent les choses :

Trouvez un texte plutôt démonstratif, et transformez les liens logiques à l'intérieur des phrases en remplaçant par exemple «cependant» par «ensuite», ou «de plus» par «en revanche». Le sens change, amusez-vous à reconstruire tout le texte en fonction de ces nouvelles indications. Vous pouvez également faire des variations, en glissant d'une position à une autre par le simple choix d'une locution.

Coups de théâtre :

Cette consigne réjouira ceux qui s'intéressent au théâtre : imaginez que l'Avare devienne prodigue, que Dom Juan soit timide ou incapable de mentir, que Roxane assaille Cyrano de ses avances et que ce dernier soit plutôt attiré par les hommes.

C'est un peu «et si le nez de Cléopâtre eût été plus court» ... et vous reconstruisez le monde.

Mais la presse fournit également sa part d'idées de démarrage : transformez le récit de la mémorable victoire de votre équipe de foot préférée en défaite tout aussi mémorable, une histoire d'amour peut devenir infernale, et un divorce un début enchanteur de lune de miel.

Si un dénouement, une intrigue romanesque, le déroulement d'une histoire vous désolent profondément, reprenez terme à terme le texte de départ, et reconstruisez, en jouant simplement sur quelques mots, une nouvelle trame plus conforme à vos vœux.

Points de vue :

Variante I

Pour démarrer en douceur, imaginez d'abord un fait divers bien précis ; le temps, le lieu, les protagonistes, les circonstances seront très minutieusement précisés. Vous vous mettez ensuite dans la peau du journaliste qui écrit son article, pour les lecteurs de SON journal. Pour faciliter la chose, lisez quelques journaux pour vous pénétrer des styles.

Quelques idées, mais vous n'en manquez pas : le compte-rendu de la bataille d'*Hernani* pour le public de l'*Equipe*. La vente aux enchères d'une bouteille de Bordeaux, millésime 1898, pour les lecteurs de l'*Humanité*, ou de la revue *Vins et tables de France*, le vol du traîneau et de la hotte du Père Noël pour *France Dimanche* ou *Minute*, la découverte d'une poule avec dents pour *Le Monde*, le récit de l'acquéreur de la brosse à dents d'Elton JONES pour *le Figaro...* etc.

Cette consigne vous permettra de jouer sur les niveaux de langue, sur les manières de dire les choses, et sur les ressorts de chaque journal.

Variante II

A partir du même événement si vous le souhaitez, décrivez les sentiments, remarques, préoccupations de plusieurs acteurs ou témoins de la scène ; ils ont tous vu ou vécu la même chose, mais, évidemment, chacun de son propre point de vue, à travers ses «filtres» personnels. Il est recommandé de donner la parole à des objets, à des animaux, à des éléments du décor dont on ne sait même plus qu'ils existent, tant ils sont familiers et discrets.

Que pourraient raconter un coin de trottoir, un vieil arbre centenaire ? A leur échelle, la valeur des choses se transforme forcément, comme d'ailleurs à celle du papillon de nuit ou du coquelicot.

Votre scénario de départ devra être très serré, afin qu'aucune erreur chronologique ne vienne rompre votre construction. Vos «héros» seront croqués sur le vif, interrompus peut-être au milieu de leur activité favorite, ou tirés d'une douce somnolence.

Petites annonces classées

Qui n'a jamais cherché un appartement, une voiture d'occasion, sans parler de sa moitié idéale ou du job de sa vie...

Lorsque nous lisons une petite annonce, notre imaginaire se déchaîne, parfois à notre insu, car nous n'avons pas toujours conscience de visualiser la chose, la personne dont on nous parle. Que de déceptions, de surprises devant par exemple la «Première main, état impeccable, faible kilométrage» qui nous a fait traverser la ville comme des fous en craignant de rater une occasion unique ! Alors, puisque nous projetons si bien, amusons-nous, tout en essayant de comprendre ce qui nous met parfois le cerveau en ébullition, en essayant de piéger les mots qui nous piègent.

Découpez quelques petites annonces que vous collerez sur autant de feuilles blanches. Lisez attentivement chacune d'elle et commencez à décrire le plus précisément possible ce qu'on vous propose. Vous pouvez également imaginer les personnages, les situations qui ont abouti à la publication de cette annonce.

Il est très amusant de réaliser cet exercice à plusieurs afin de vraiment mesurer les différences d'interprétation, et surtout d'essayer de voir ce qui vous a touché, vous, personnellement. Mais si vous le faites seul, «oubliez» quelque temps votre description, et recommencez-la un peu plus tard, vos projections auront peut-être changé, ce qui vous rendra plus perceptibles les anciennes.

Lorsque vous aurez plusieurs descriptions, vous pourrez chercher celle qui paraît la plus vraisemblable, en essayant d'en détecter les raisons (meilleure adéquation par exemple aux connotations de tel mot).

Variante

A partir de la chose, la personne, la voiture, que vous souhaitez décrire, composez une petite annonce, la plus courte, la plus fidèle possible, ou au contraire la plus évocatrice possible, mais ne mentez jamais, efforcez-vous plutôt de trouver chaque fois les éléments irréfutables sur lesquels vous pouvez jouer.

Ce chapitre a beaucoup emprunté aux techniques d'écriture «sérieuse» : mais souvenez-vous qu'un bon moyen d'exorciser ses démons est de s'en moquer, et si quelque chose, dans le domaine de l'écriture, vous effraie un peu, jouez donc avec sa structure ! La mettant ainsi à distance irrévérencieuse, vous vous l'approprierez par le détournement, et surtout, quelle mine proposent tous ces écrits administratifs, commerciaux, journalistiques lorsque nous décidons d'utiliser leur squelette !

VI. Traduire un rapport au monde

Quelques repères

Maintenant que vous avez fait vos armes grâce à des exercices à contraintes formelles, à des proposition d'invention, à des constructions fortement architecturées, je vais vous proposer de virer de bord, image de la navigation qui me paraît s'appliquer parfaitement bien à notre propos : voyage en écriture, voyage au long cours où vous devrez tenir compte du moindre vent venu de l'extérieur, des courants sous-marins qui vous traversent...

Au début de la navigation il faut faire connaissance avec son navire, en connaître, toutes les possibilités, mettre à sa main ses outils, bref, entrer dans ce monde et y mettre à l'essai tout de soi, corps et esprit ; c'est l'être entier qui est concerné.

Maintenant nous sommes en haute mer et je vais faire appel, pour les consignes qui suivent, directement à votre vécu.

Bien sûr pour répondre aux consignes des chapitres précédents il a déjà fallu s'appuyer sur ce dernier. Mais si vous l'avez fait, c'est en second lieu, de surcroît, l'essentiel portait sur les jeux complexes de la consigne et non le vécu. Tandis que, maintenant, j'attire votre attention dans cette direction, je vous demande l'avoir en priorité, et d'en être conscient. Pensez en somme que, comme Roland Barthes écrivant les *Mythologies*, vous aussi faites la Mythologie du Quotidien des années 1988.

Peut-être allez-vous me dire que tout cela est bel et bon pour un écrivain mais que vous n'en êtes pas, que vous ne faites ça que pour votre plaisir, ou parce que vous préparez une école de journalisme ou que votre préoccupation est uniquement utilitaire. Je vous répondrai qu'à notre époque, fort heureusement, les genres ne sont plus si tranchés qu'il y a seulement 60 ans, que le temps est révolu de la coupure entre les écrivains et les autres ; le journalisme et l'audio-visuel ont gommé les frontières. J'ai rencontré dans de nombreux milieux, des élèves, des professeurs, mais aussi des personnes de toutes professions qui désiraient écrire et apprendre à mieux le faire pour leur plaisir personnel, pour être lus par leurs amis, pour témoigner devant des héritiers plus tard, etc.

Ecrire est donc l'affaire de tous ceux qui pensent avoir quelque chose à dire sur le monde, sur la société, les rapports humains, les civilisations, les sentiments qui nous mènent.

C'est pourquoi je définirai pour terminer, le type d'écrits proposés dans ce chapitre comme *Les Ecrits du Temps Présent*, prenant comme point de départ autant les modes d'écriture des auteurs de notre siècle, que les méthodes et les supports de création contemporains autres que l'écrit : la photo, le dessin, l'image, le film. Tous ces exercices sont conçus dans une progression, et tous font appel à une certaine disposition d'esprit, à un certain regard à trouver : il s'agit d'être sensible à ces petites failles que le quotidien creuse en nous, au travail de la mémoire et de la remémoration, à la manière dont nous résonnons aux événements de la vie, aux lieux, aux gens, aux situations…

Et maintenant, en route pour notre premier exercice.

1. Le poids du monde

Les haïkus

Vous connaissez peut-être ces petits poèmes japonais de trois vers libres, parfois cinq, jamais plus (dans la traduction française bien sûr). En voici deux :

Brume et pluie   *Je lève la tête*
Fuji caché. Mais cependant je vais   *L'arbre que j'abats*
Content.   *Comme il est calme !*

Poèmes, «sans en avoir l'air» qui nous déroutent, nous Occidentaux toujours prêts à expliciter nos paroles par d'autres, à «arpenter la moindre parcelle de signification» (M. Coyaud, *Fourmis sans ombre*). Comme le dit Roland Barthes dans *L'Empire des Signes* : «*le haïku s'enroule sur lui-même, le sillage du signe qui semble avoir été tracé s'efface : rien n'a été acquis, la pierre du mot a été jetée pour rien : ni vagues, ni coulée de sens*».

Cette trace fuyante d'un instant de bonheur, d'une pensée mélancolique, le haïku la saisit avec des «paroles de peu». Ce qu'il dit c'est «simplement ce qui arrive en tel lieu, à tel moment», et toujours en s'appuyant sur la nature, le temps, les saisons, et aussi le petit quotidien. Parfois même les auteurs de haïkus n'excluent pas la trivialité dans leur souci d'évoquer le concret de chaque jour, le «comment les hommes vivent», témoin celui-ci :

Sur les fleurs de lotus
Pisser
Oh shari !

Ainsi donc, vous allez vous essayer à votre tour à écrire des haïkus, ou plutôt comme c'est la tradition japonaise, à en prononcer à haute voix, dans une pause de vos activités, puis à les transcrire. N'oubliez pas : il ne s'agit pas d'exprimer, ni d'émouvoir, ni de montrer, surtout pas de commenter, simplement dire : «Dire simplement ce qui arrive en tel lieu, à tel moment», comme le dit Basho, un maître du Haïku du XVIIe siècle. Et j'ajouterai : portez plutôt votre attention sur les détails infimes de la vie quotidienne. Que rien ne vous semble indigne, ou pas assez élevé. Le haïku, c'est un instantané des petites choses, de celles qu'on ne remarque pas, qui semblent banales. Il s'agit d'acquérir l'œil de l'entomologiste penché sur un nid de fourmis. Pensez aussi à Jules Renard et à ses délicieux petits portraits dans *Histoires Naturelles*.

L'Araignée : *Une petite main noire et poilue crispée sur les cheveux. Toute la nuit, au nom de la lune, elle appose ses scellés.*

Le ver luisant : *Cette goutte de lune dans l'herbe.*
Que se passe-t-il ? 9 heures du soir et il y a encore de la lumière chez lui.

Ou bien, pensez à Jules Mougins dans *Faubourgs* :

Trouver de la poésie dans un guidon de vélo
Un bouton de porte
Une paire de souliers.
Emouvoir avec des objets aussi banaux...
...

Tuyaux de locomotives
Gouttières

Tas de cailloux
S'occuper enfin de cela.

Le BUT de cet exercice, vous le sentez, est d'aiguiser le regard et de l'attirer vers des sources d'écriture que nous dédaignons d'habitude, parce que trop triviales, trop simples, ou simplement que nous n'y pensons pas. Faire simple, c'est mon conseil.

Pour continuer sur l'élan, je vous propose maintenant d'écrire :

Vos souvenirs d'enfance

C'est un peu une évidence : notre enfance et les perceptions reçues du monde dans cette période ont constitué le réservoir unique et irremplaçable dans lequel, adulte, nous puisons constamment. C'est grâce à ces premières sensations que s'est constitué notre imaginaire.

D'ailleurs pour les analystes qui travaillent sur la remémoration et le souvenir «se remémorer c'est retrouver les traces de quelque chose de perdu, et c'est ce perdu qui structure l'être». J'en veux aussi pour preuve la quantité d'autobiographies qui se publient ces dernières années, et pas seulement d'hommes célèbres. Et puis il faut citer aussi les «champions» du souvenir d'enfance : Rousseau, Vallès, Proust, Sartre, Sarraute, et Christa Wolf dans *Trame d'Enfance* citant Faulkner : «le passé n'est pas mort. Il n'est même pas passé. Nous nous coupons de lui et feignons d'être des étrangers».

Il s'agit donc à travers cette expérience essentielle de regarder enfin ce passé, de ne plus lui être étranger.

Exercice

Plongez dans votre mémoire pour ramener au jour les perceptions de l'enfant que vous étiez. Il s'agit non pas de raconter des anecdotes, encore que cela puisse être une étape nécessaire, mais plutôt de faire revivre le plus finement possible et au plus près de votre perception d'enfant, les sons, les odeurs, les couleurs, les contacts, les plaisirs cachés, les désirs détournés ou non, les peurs, les impuissances, bref, tout ce rapport au monde et aux adultes de l'enfant dans sa concrétude. Pour cela on choisira plutôt que la forme du récit, celle du flash qui évoque en image, sans trop s'attarder et surtout sans interpréter.

Sans interpréter, car un des risques est de faire du faux souvenir, du souvenir d'adulte reconstruit. On ne l'évitera pas entièrement certes, mais il s'agit à la fois d'être en écrivant dans l'instant avec toute sa présence au monde de maintenant, et dans le passé avec l'acuité de la recherche de perception. Et aussi de tenter de manifester le creux entre les deux. (Cette dernière consigne est facultative car elle complique un peu le travail, mais j'insiste sur la double démarche Dedans/Dehors, car l'une est le garant de l'autre. Garant que l'on ne se perd pas entièrement dans le ressassement du Paradis Perdu mais que la conscience de la réalité demeurera une exigence. Car l'écriture ne repose pas seulement sur l'illusion, mais aussi sur la conscience de l'illusion quelque part en celui qui écrit.)

Pour mieux me faire comprendre je voudrais citer Henri Michaux :

... «*En pensant au phénomène de la peinture... tous ces visages... de quel fond venus ? Ne seraient-ils pas tout simplement la conscience de ma propre tête réfléchissante ? ... Du pinceau et tant bien que mal, en taches noires, voilà qu'ils s'écoulent, ils se libèrent... Visages de l'enfance, des peurs de l'enfance dont on a perdu plus la trame et l'objet que le souvenir... Visages de la volonté peut-être qui toujours nous devance et tend à préformer toute chose : visages aussi de la recherche et du désir.*» (*Passages*).

Variante 1

Evoquer tous les souvenirs liés à un objet symbolique, par exemple : les Portes, le Mur, etc...

Variante 2

Evoquer successivement un souvenir de : cheveu, de porte fermée, d'odeur, de mot mal compris, de cruauté, d'interdiction, de brisure, de silence, de toucher, d'eau, de lieu fermé, de terre, d'odeur, de froid, de sec, etc... (en une phrase, travailler sur le bref, le précis, le sensible de la perception).

Un lieu, un drame

Il va s'agir là d'un travail en deux étapes.

D'abord, installez-vous dans un lieu de votre choix, extérieur ou intérieur. Cela peut être votre lieu de travail après le travail, un endroit de votre maison, le fond du jardin, une église, une salle d'attente : un lieu où vous soyez seul et qui vous sollicite.

Tracez mentalement autour de vous des limites qui devront borner votre travail d'observation (Elisabeth BING à qui j'em-

prunte cette consigne parlait de «cercle magique», je n'irai pas
jusque là). Dans ce premier temps vous allez nommer par écrit tout
ce qui vous entoure, à la manière d'un inventaire, avec la plus
grande précision : formes, couleurs, dimensions, places respecti-
ves des objets. Il ne s'agit que de nommer le monde autour de soi,
de le reconnaître sans y inscrire rien de soi.

Ceci fait, relisez-vous à haute voix. Du texte dans sa sécheresse
et sa précision extrême, se dégage une atmosphère. C'est alors qu'il
va falloir essayer de préciser cette atmosphère, la rendre plus
opérante en faisant à l'intérieur du texte des ajouts qui progressivement installent un suspens : dans ce lieu il pourrait s'être passé
ou se passer un drame, ou un événement brutal. Rien n'en sera dit
avec certitude, le lecteur pourra y mettre ce qu'il voudra. Vous,
vous vous contenterez de suggérer...

Variante

Travaillez sur un lieu que vous connaissez bien, votre lieu de
travail par exemple. Il s'agira de rendre l'atmosphère particulière
à ce lieu, comment vous y êtes sensible, les ondes que vous y
percevez.

Dans les deux cas, c'est comme dans les rêves : on se trouve dans
sa maison qu'on connaît bien, mais chaque détail si familier
semble contenir une menace, une part d'improbable, ou simplement d'étrange, et risquer de se défaire à jamais. Et alors monte le
sentiment que quelque chose va arriver qui a à voir avec ces
transformations, les justifiera, et le but du travail est de vous rendre
voyant, de vous faire dépasser les apparences tranquilles, rassu-
rantes du quotidien, pour accepter des choses la dimension cachée.

Le poids du monde

C'est le titre d'un livre de Peter Handke qui porte en sous-titre :
«Un journal, novembre 75-mars 77». Pendant un an et demi, Peter
Handke a écrit ce journal comme des notes pour servir à un roman,
y notant ses perceptions quotidiennes dans des situations de la vie
de tous les jours ainsi que ce qu'il nommait ses «expériences de
conscience», trouvant par là une possibilité d'écriture inconnue
jusqu'alors de lui. Dans ce journal, les événements extérieurs ne
sont jamais complètement rapportés, ils transparaissent seule-

ment à travers le «reportage d'une conscience». C'est donc cette manière d'évoquer le poids des choses, du monde sur une conscience en alerte que je vous demande de trouver pour écrire vos propres poids du monde. L'écriture pourra se faire d'une manière discontinue si vous le choisissez, mais ce serait mieux pendant un laps de temps que vous déciderez vous-même et avec les consignes supplémentaires qui pourront vous tenter : écrire tous les matins, ou avant de se coucher, ou avoir toujours un carnet sous la main, etc.

Voici à titre d'exemple quelques extraits :

– *Pour la première fois depuis longtemps je me mordis la langue.*

– *Et naturellement la pitié est en fin de compte inévitable.*

– *Souvenir de ce déjeuner, il y a un an, où tous, «hommes faits» nous n'avons cessé de parler du nombre de fois où nous nous lavions les cheveux ; et mon profond bien-être pendant cette conversation interminable !*

– *«Après un baiser rapide, mais non fugitif» (K. Mansfield) ; après un long baiser fugitif (d'autant plus fugitif qu'il est plus long).*

Variante : moments de vie

Prenez comme repère une journée de votre vie assez proche pour que vous en ayez un souvenir assez précis. Faites la liste EN VERBES de vos actions. Puis faites un texte qui organise ces verbes de manière que l'organisation choisie traduise la marque, l'atmosphère de cette journée telle que vous la ressentez. Soyez attentif aux emplois des temps verbaux, aux recherches de sonorités, aux répétitions, aux allitérations, et travaillez aussi sur une disposition sur l'espace de la feuille qui rende compte de l'impression que vous voulez voir se dégager (une sorte de calligramme, mais abstrait).

Exemple de réalisation : MATINEE DU JEUDI 13 DECEMBRE

J/E ouvre les yeux dans le noir.

(instants étirés, ça devient moins noir, ma main cherche un peu de douceur sur une autre peau «A ce soir» marmonné).

J/E alors se lève.

Caracole bouscule en vrac gestes toutes directions toutes nécessités mêlées : j'embrasse et réveille et reviens et rembrasse ouvre la fenêtre et caresse mets l'eau à bouillir le café passe coupe du pain à griller les chats

réclament à manger la porte lourde grince je me faufile remplis leur plat
bonjour les chats caresses furtives.

Et puis aussi vite : déjeuner m'habiller me coiffer, l'eau fraîche un peu
de khol le manteau les clés.

Dehors
Essuyer les vitres
se glisser sous le volant
pousser le gros cartable qui retombe
y renoncer
démarre - starter -
et recule - accélère - manœuvre - tourne volant - freine-
Arrêt Nicolas.
...

(N. VOLTZ. inédit, 1982)

Le monologue intérieur

C'est une technique d'écriture dont le texte le plus célèbre parce
que le plus long (50 à 70 pages selon les éditions) est le monologue
de Molly Bloom à la fin d'*Ulysse* de Joyce [1]. Je vous propose pour
vous y confronter de choisir un tableau, une reproduction, une
photo, un dessin qui vous attire et d'écrire le monologue intérieur
du ou des personnages représentés, humains ou non, dans la
situation que représente l'image et par rapport à son décor ; les
personnages livreront donc petit à petit leur rapport à ce monde et
aux autres personnages.

Le choix de la reproduction est important : je propose dans mes
ateliers d'écriture des dessins de Topor ou des tableaux du réalisme
fantastique : Gourmelin, Tanguy, Paul Delvaux. Leur point
commun est de présenter un paysage énigmatique, déconcertant
qui contient pour les personnages des menaces occultes. Celui qui
regarde est obligé de se poser la question : que se passe-t-il en
réalité ? même s'il n'y répond pas.

Exemple de réalisation : dessin de Topor : Les bestioles.
       UN JOUR COMME TOUS LES AUTRES.
Voilà -, Elles sont là comme d'habitude.

---

1. On pourrait le définir comme «la transcription à la 1ᵉ personne du flot de paroles
qui se déroule dans la conscience d'un personnage».

(C'est mon sort sans doute de répéter toujours ce geste. Ce geste pour échapper à leurs pinces dentues).

– *Elles sont là* - *(encore une chance, elle n'a attrapé que le bas de ma chemise).*

– *C'est toujours la même* - *la soliloque blanche* - *c'est elle la plus rapide à la course.*

(Mais qu'est-ce qui peut bien s'agiter dans son gros ventre mou ?)

           HEP ! LA BAS AU SECOURS !

(Non bien sûr, ils ne voient rien, ils n'entendent pas, ils ont leurs propres bêtes)

Que le monde est vide !

Elle m'avait bien dit ma mère : «te gratte pas comme ça, à la fin ça énerve» (mais ça démange sous mon bonnet)

Tous les matins, pareil. Je mets mon bonnet pour m'empêcher. A force de m'empêcher j'en deviens fou ! j'ai dans les mains des grattouillis, de la bougeotte.

D'ailleurs, si je me gratte maintenant, sûr que je vais lâcher l'arbre. Et si je lâche, je tombe.

Encore que tomber, parfois je rêve que ce serait la solution. Leur appartenir enfin, m'abandonner. Me donner à elles, ou à d'autres…

Mais jamais je ne tombe vraiment. Ou bien comme l'autre fois je tombe et rien ne se passe. Elles reculent. Me regardent de leur œil rond et stupide, «œil de vache» que je leur crie, «dégonflées», «impuissantes», alors elles s'évanouissent, s'évaporent dans l'air.

Et ma mère m'engueule : «mais qu'est-ce qui te prend ! gueulard, fainéant ! tu vois bien qu'y a rien, tu fais peur aux gens ! Et puis te gratte pas comme ça !»

D'ailleurs depuis quelques temps c'est pas seulement sous le bonnet, c'est partout que ça me démange.

Je m'réveille et toc, -au ventre- là à droite - ça gratte - je résiste - un peu - ça m'occupe tout entier - j'en renverse mon bol de lait - ma mère elle gueule - et puis dans le cou - et là haut dans les cheveux… On m'a rasé la tête, ça a rien fait.

Mais comment donc vous faites, vous tous, pour vivre avec ces bêtes qui grouillent et disparaissent et reviennent ? Mais comment donc vous faites ?

Jamais ils répondent.

Un jour je creuserai un trou et j'y descendrai. JE refermerai la terre sur moi. Là je serai à l'abri, bien au chaud dans la molle, la douce.

Ma mère elle pourra bien gueuler.

Elle qui est dure et froide.

Je la laisserai.

(N. VOLTZ, inédit, 1982)

C'est toujours le même problème que nous connaissons bien maintenant : le texte doit suggérer sans dire, laisser entendre sans affirmer. Au lecteur ensuite de se trouver ses propres chemins interprétatifs. Par exemple *L'Arrêt de Mort* de Blanchot suggère une ou plusieurs interprétations convergentes des raisons pour lesquelles le personnage féminin meurt, mais ne les dit jamais. C'est de cette distance que naît l'impression pour le lecteur qu'il est en face d'une expérience qui ne lui est pas étrangère, qui peut le renvoyer aux siennes propres, qu'il peut donc partager au delà des problèmes toujours contingents de circonstances.

Prolongements possibles

Réunir deux ou trois de ces images et des textes et écrire le dialogue de deux ou trois personnages dans une situation à déterminer. Si vous écrivez à plusieurs, ce peut être un bon motif de travail de groupe, ce qui n'est pas très courant en écriture et dont il faut profiter car cela réserve d'autres plaisirs.

L'autobiographie

De Rousseau à Georges Perec ou Nathalie Sarraute en passant par Proust, pour ne citer que les plus connus, nombreux sont les écrivains qui, dans leur parcours, ont rencontré le besoin de se pencher sur leur vie et leur filiation, et de les faire parler. Mais nombreux aussi sont les inconnus qui publièrent à compte d'auteur des autobiographies. En 1981, en France, on a publié 332 livres de mémoires, souvenirs, autobiographies nous dit Philippe Lejeune qui travaille sur ce sujet depuis 1970 et explore la mémoire de sa propre famille depuis 1978, et dont je citerai des extraits pris dans *Le Pacte Autobiographique*, *Je est un Autre*, *Moi aussi* (et en particulier, dans ce dernier volume, le chapitre «*En famille*», p. 181, et «*Apprendre aux gens à écrire leur vie*», p. 203.)

Je vous ai proposé au chapitre III de vous inventer une autobiographie, et vous pouvez après coup reprendre ce texte et chercher ce qui, dans cette vie inventée, a un rapport avec la réelle. Mais là n'est pas seulement mon propos. Le projet autobiographique, c'est le projet de constituer un réservoir de mémoire vivante (vivante parce que portée par des individus et non des documents comme c'est le cas pour les archives qui sont de la mémoire morte).

Pourquoi écrit-on une autobiographie ? Pour «conjurer le temps, fixer son identité, donner valeur à son existence. Mais aussi pour témoigner au nom d'un groupe, pour critiquer ou se venger d'échecs, de la société», enfin parce que, comme le dit Rimbaud «Je est un autre», et même, ajoute Philippe Lejeune, «Je est toujours plusieurs», «le moi unifié est un imaginaire» et toute autobiographie est construction d'une vérité. Citons aussi Roland Barthes, affirmant au seuil de son autoportrait «Tout ceci doit être considéré comme dit par un personnage de roman».

Alors, allez-vous me dire, par où commencer ? Car c'est un domaine énorme. Bien sûr, je ne vous lance pas dans un texte de 400 pages (mais peut-être le deviendra-t-il plus tard et vous poserez-vous à ce moment-là les problèmes de la forme). Je répondrai à la Normande que vous avez plusieurs entrées. Outre celle qui vous viendrait spontanément à l'esprit, vous pouvez commencer par :

– *Décrire la maison de votre enfance…*

– *Ecrire votre notice nécrologique à l'imitation de Stendhal («Henri Beyle, né à Grenoble en 1783, vient de mourir à… le… octobre 1820. Après avoir étudié les mathématiques, il fut quelque temps officier dans le 6ᵉ régiment des dragons (1800-1801-1802). Il y eut une courte paix, il suivit à Paris une femme qu'il aimait»… etc…).*

– *Partir d'une photo de famille, commencer par la décrire…*

– *D'un meuble ancien, d'un bijou hérité…*

– *Que vous rappelle votre nom, votre prénom ?…*

– *Inventer une photo de vous à 8 ans, 12 ans, 16 ans; et essayer de décrire l'air que vous aviez, l'état dans lequel vous étiez, comme Marguerite Duras dans* L'amant. *(«Une photographie aurait pu être prise comme une autre, ailleurs, dans d'autres circonstances… Je descends du car… Je porte une robe de soie naturelle, elle est usée, presque transparente…»).*

– *Evoquez un épisode lié à votre naissance à la manière de Chateaubriand («J'étais presque mort quand je vins au jour. Le mugissement des vagues, soulevées par une bourrasque annonçant l'équinoxe d'automne, empêchait d'entendre mes cris…»).*

Ou de Claude Roy : «Je n'ai pas gardé un souvenir absolument net de ma première sortie, du chaud et froid de naître, ni de l'entrée inaugurale de l'air dans mon sac à souffler. La seule chose dont je sois sûr, c'est qu'avant j'étais bien, et après, étonné…»

Ou à la manière humoristique du dessinateur Jean Effel : «par une belle nuit étoilée, le Bon Dieu se promène de long en large sur un nuage, les mains derrière le dos. A une jeune secrétaire-ange, installée avec sa machine à écrire électrique sur le même nuage, il dicte ses Mémoires : NÉ DE PARENTS INCONNUS (VIRGULE) PARTI DE RIEN (VIRGULE)…» [1]

Vous voyez que les possibilités sont nombreuses, et nombreux aussi ceux qui vous ont précédé sur cette voie, qui peuvent vous fournir un point de départ. N'hésitez pas comme je l'ai dit déjà à les utiliser, voire à les voler.

Au long de ce travail vous vous apercevrez aussi que le texte autobiographique, plus encore que les autres, fonctionne comme un jeu de piste : tout au long de son déroulement, on s'invente des filières, des règles nouvelles, un mot déclenche une nouvelle direction… «Ma vie est une île dont je vais dresser la carte» conseille à ses utilisateurs un de ces nombreux manuels qui paraissent aux USA et proposent aux gens d'écrire leur vie.

J'en viens enfin à l'exercice car il faut bien une consigne précise pour commencer :

Exercice

«En une page recto-verso, dites qui vous êtes. Vous pouvez écrire à la première personne du singulier, mais aussi à la seconde ou troisième, ce choix déterminera le plus ou moins de distance que vous voulez tenir».

Variante 1 : (Plus facile, pour commencer).

A la manière de René de Obaldia dans «Douleur Quantitative» (in «Les Richesses Naturelles»), composez un texte sur la structure suivante : chaque brève phrase commencera par «Tant de … + verbe à l'infinitif» dans un paragraphe qui dira le négatif de toute votre vie.

Dans un deuxième paragraphe qui commencera par «Mais tant et tant de … + verbe à l'infinitif», vous direz le positif.

1. Philippe LEJEUNE, «Récits de naissance», in *Moi aussi*, Paris, Seuil, 1986, p. 310.

Exemple :

DOULEUR QUANTITATIVE

Tant de portes à ouvrir, à fermer. Tant de lits à faire, à défaire. Tant d'escaliers à monter, à descendre. Tant de vaisselle à laver, à essuyer.

Tant de linge à blanchir, à noircir. Tant de poignées de main à distribuer. Tant de lettres à écrire. Tant de paroles à prononcer. Tant de bibis à bébés et de bébés à bobos. Tant de dadas au dodo et de dodos à dada. Tant de tout et si peu de quelque chose. Tant de choses et si peu de quelque tout. Tant de tant et si peu de ce peu qu'il y a là de quoi décourager le meilleur, de quoi aller planter sa tente dans le désert.

Mais tant et tant de grains de sable...

Variante 2 :

A la manière de Nathalie Sarraute dans *Enfance* (Gallimard, 1983), travailler sur deux voix en vous : celle de l'adulte raisonnable, qui hésite à se livrer en pâture, puis doute de la véracité du souvenir, questionne sa légitimité, et la voix de l'enfant tenté par la plongée dans ce monde incertain, et qui l'emporte finalement, dans un dialogue.

Variante 3 :

A la manière de Barthes dans le *Roland Barthes*, ou en vous en inspirant, lister un certain nombre de thèmes, d'entrées, et sur chacun écrire un paragraphe de huit à dix lignes environ. A titre d'exemple voici quelques-uns de ses titres :

Au tableau noir, L'argent, L'arrogance, Noms propres, Mon corps n'existe..., Les Amis, ...

2. Mythologie du quotidien

Et maintenant, tournons la page...

Jusqu'à maintenant les consignes de ce chapitre ont tourné autour du Sujet et de sa résonance à ce qui l'entoure. Autour du Sujet dans sa relation étroite et intérieure au monde, mais en se centrant sur lui. L'autobiographie vient de vous tirer hors de ce tête-à-tête avec vous-même, pour vous faire vous intéresser à vous et votre monde privilégié : la famille, les amis. Les propositions de travail que je vais vous faire maintenant vont vous demander de sortir encore plus pour regarder le monde comme il va, pour en témoigner. Les choses vues ou vécues vous traversent, vous y réagissez, vous y résonnez, mais vous avez aussi un point de vue à défendre, vous êtes un témoin de votre temps. Il est évident que toutes les consignes de cette partie tournent autour du même nœud à creuser, et que cela peut sembler arbitraire : pourquoi ce choix et pas un autre ?

D'abord c'est mon choix d'écriture personnelle et on n'enseigne bien que ce que l'on sait faire, ce que l'on aime… Ensuite, c'est une des voies de la littérature moderne dite engagée. Développer les courants idéologiques qui traversent la littérature n'est pas le propos de ce manuel, mais disons rapidement que je privilégie ici un écrit fondé sur l'expression du vécu d'un être pris dans une socialité, d'une part nourri de sciences humaines, frotté d'un peu de psychanalyse, d'autre part tiraillé par les sciences et les techniques d'un XXe siècle technologisé à l'extrême. La guerre est partout sur le globe, les grandes puissances se sont tellement armées qu'elles ne peuvent plus parler que de désarmement, les droits de l'homme sont constamment à défendre. On va dans les étoiles et en même temps on subit comme au Moyen-Age des terreurs et des calamités avec la même impuissance qu'au Moyen-Age. De tout cela l'écrivain ne peut pas s'exclure en s'enfermant dans sa tour d'ivoire. De plus en plus, des écrivains écrivent dans les journaux, des journalistes viennent à l'écriture. Déjà au début du siècle les nouvelles de Virginia Woolf paraissaient dans les revues et dans le *Times*.

Je vous propose donc maintenant d'adopter la liberté de ton et le point de vue sur notre époque du journaliste dans une chronique qui pourrait s'intituler **«Le Monde comme il va»** (la revue *Politis* a bien une rubrique intitulée : Récits Contemporains). En bref, il s'agit de prendre pouvoir sur votre expérience pour la faire partager par le lecteur.

Lieu public

Allez vous installer avec de quoi écrire dans un lieu public : gare, supermarché, bus, train, restaurant, ANPE, hôpital, salle d'attente, bar, église, cinéma… lieu assez fréquenté, et dans un premier temps faites-en une description très précise, minutieuse, comme pour la troisième consigne «un lieu, un drame» p. 111. Notez des bribes de conversation qui vous parviennent.

Puis, deuxième temps : vous parlez au lecteur (ou à un lecteur privilégié que vous déterminerez) de ce que ce lieu, son agitation, les paroles entendues, les odeurs, les sons, déclenchent en vous comme imaginaire, réactions affectives, comment vous réagissez à ce lieu.

Enfin, troisième temps, vous tenez à votre lecteur imaginaire un discours sur ce lieu comme témoin de notre époque (c'est la voix du sociologue ou de l'esquimau qui débarquerait en France et tenterait de comprendre notre société à travers les signes qu'il en reçoit).

C'est un travail de morceaux à assembler que je vous propose là, un peu comme un tricot : si on est très habile on fait du jacquard en mêlant plusieurs fils, sinon, on fait des rayures. J'ai donné d'abord la démarche «rayures», maintenant la démarche «Jacquard» serait de mêler, tout en écrivant, les trois temps, de faire résonner les trois voix : perceptive, sensible, analytique, dans une alternance, un dialogue dont la forme est à trouver, à adapter à chaque cas particulier. Cela peut être une lettre, un monologue intérieur, un début de nouvelle (voir chapitre VII)....

Vous commencez à être assez expérimenté, à vous de prendre des décisions, de jouer sur l'implicite et l'explicite. Souvenez-vous seulement que tout est signifiant : le choix des mots, l'ordre des détails, le rythme des phrases, la présence ou l'absence de verbes d'action...

Variante 1 :

Tenez pendant quelques temps un journal de bord où la sélection des thèmes à écrire se fera en fonction de deux critères :

– les événements quotidiens qui colorent la journée,

– l'état du ciel (sa couleur, sa forme, sa pression sur le monde) qui accompagne toujours chaque journée et commente en quelque sorte les événements. Joue en tous les cas en contrepoint.

Texte de référence : «*Le Livre des Ciels* [1] » de Leslie Kaplan.

Variante 2 :

Voici quelques textes de littérature contemporaine qui peuvent servir de modèle formel selon votre envie. J'ai choisi :

---

1. POL, Hachette, 1983.

— *La promenade en voiture et la vue des clochers de Martinville dans* Du côté de chez Swann *de Proust.*

— *La Fuite à cheval très loin dans la ville* [1], *de Bernard Marie Koltès, un très jeune romancier qui écrit aussi pour le théâtre.*

— *Un texte de Sam Shepard, le scénariste américain de* Paris Texs, *pris dans* «Motel Chronicles [2]» *brèves chroniques de la vie quotidienne.*

— *Le* «Livre des Ciels» *de Leslie Kaplan déjà nommée.*

— *Un poème de Liliane Giraudon publié dans* La Réserve [3].

— *Enfin un passage de* Tropismes *de Nathalie Sarraute. Et aussi pensez au Huron de Voltaire !*

Grappe de Sensations

L'idée de ce travail vient de l'observation des nouvelles de Virginia Woolf et notamment «Lundi ou mardi [4]». Elle y mêle ce qu'elle voit du monde extérieur et la manière dont elle le voit :

— Un héron qui survole l'église/ indolent, indifférent, sûr de sa route.

Ce qu'elle imagine dans le ciel, dans un effet de kaléidoscope :

— un lac, une montagne, des fougères.

Comment, écrivant, elle perçoit son état en train d'écrire :

— avide de vérité, tellement avide,

les perceptions qui lui arrivent de l'extérieur :

— un cri, des roues... «du sucre ? non merci»

Et tout cela compose une petite scène, intérieur/extérieur, comme dans un tableau où les différentes couches constituent ce qu'on voit, l'ordonnancement des différents niveaux donne une image de ce moment, de son épaisseur.

Il nous arrive à tous parfois d'avoir la révélation d'un sens de quotidien qui n'est pas celui du sens commun mais un sens

---

1. Minuit, 1984.
2. Ed. Ch. Bourgois, 1982.
3. POL, Hachette, 1984.
4. Points Seuil, 1979.

profond. Que ce soit un acte comme : se laver, fumer, regarder un paysage, un visage, une musique, une personne. Et puis autre chose arrive. On passe et pourtant dans ce bref instant on a communiqué avec l'insondable.

Je vous propose donc à l'imitation de cette démarche (essentielle pour tenter de rendre compte du monde dans toutes ses épaisseurs) d'écrire un texte où se mêle la voix intérieure qui parle de sensation et les voix extérieures du monde qui constituent une matrice sonore dans laquelle baigne celui qui écrit. Partez d'une situation d'écoute : vous êtes assis dans le train, au café etc... et il y a les quatre niveaux qui se mêlent dans une polyphonie qui traduit toute l'épaisseur du regard sur les choses, de la pensée sur la vie, le monde ; un regard, une pensée éclatés. C'est aussi un tissage de plusieurs fils. Il y a bien une ligne de récit, une situation qui se développe (le train avance) un drame intérieur qui se précise (l'état dans lequel vous êtes résonne peut-être avec ce qui vous attend) mais situation et drame sont traversés par des sensations au présent, des frémissements de l'être. Citons pour finir, Louis-René des Forêts :

«Faire venir au jour cette part de réalité qui se cache sous les apparences - la réalité étant prise ici dans le sens de conformité non pas avec les choses, mais avec le sens des choses». (Voies et détours de la fiction, *Fata Morgana 1985*).

Un conte moderne

Toujours dans la ligne du «Monde comme on le perçoit» il s'agit d'écrire à partir de vos observations dans les lieux publics : cinéma, magasin, théâtre, café... une scène entre deux personnages que vous appellerez LUI, ELLE, dont la relation n'est pas nommée explicitement, scène qui mette en valeur cette relation en tant qu'elle est représentative d'une époque. Vous ne portez pas un jugement idéologique, mais sensible : vous ne jugez pas, vous percevez et traduisez. Le lecteur fera lui-même l'interprétation.

Les tropismes

Le dictionnaire définit les tropismes : «réactions d'orientation ou de mouvement causées par des agents physiques ou chimiques». Dans ce petit livre paru en 1957, Nathalie Sarraute a voulu montrer les tropismes qui affectent les humains en société, comment chacun des comportements de ses personnages est une réaction «tropique» à un comportement en face. Et elle traque dans de petites scènes d'une à deux pages ces minuscules mouvements de réaction chez : une femme en face de ses parents, une jeune fille en face du vieux monsieur ami de la famille, des parents- un enfant un dimanche dans les bois de la banlieue, un vieux monsieur qui tient un enfant par la main pour traverser la rue, des femmes qui prennent le thé ou qui courent les soldes… Comme l'ethnologue africain venant dans les provinces françaises observer le fonctionnement de nos sociétés et décrivant sans passion leurs mouvements.

Pour cela N. Sarraute a une technique particulière : les personnages de la scène sont réduits à des signes : Ils, Elle, Eux. Qui sont-ils ? des clichés sociaux. Et le texte se déroule dans la conscience d'un des personnages, mais vu par un narrateur tout-puissant qui lit dans les pensées.

«Ils étaient laids. Ils étaient plats, communs… des clichés, pensait-elle… Elle aurait tant voulu les repousser, les empoigner et les rejeter très loin. Mais ils se tenaient autour d'elle tranquillement, ils lui souriaient aimables et dignes, très décents, toute la semaine ils avaient travaillé, ils n'avaient toute leur vie compté que sur eux-mêmes, ils ne demandaient rien, rien d'autre que de temps en temps la voir…»

Dès lors le drame est noué entre elle et eux.

«Ils ne voulaient que rajuster entre elle et eux le lien… le fil qui les reliait à elle… Ils l'entouraient : Michel Simon, Jouvet. Ah, il avait fallu s'y prendre bien à l'avance pour retenir ses places… Ils resserreraient le lien… un peu plus fort… sans faire mal… tiraient… Et peu à peu une faiblesse la faisait entrer avec eux dans la ronde… sagement comme une bonne petite fille docile, elle leur donnait la main».

Et le drame est consommé :

«Ah nous voilà enfin tous réunis, bien sages… chantant en chœur comme de braves enfants qu'une grande personne invisible surveille pendant qu'ils font la ronde gentiment en se donnant une menotte triste et moite».

Exercez-vous donc à saisir par ce moyen des moments de la vie sociale et relationnelle où se révèlent les comportements sous-jacents des protagonistes.

VII. Ecrire des nouvelles

1. Le genre

Bref aperçu historique

Il existe une telle quantité de nouvelles dans le monde et la littérature depuis l'Antiquité qu'il est impossible de faire une typologie et encore plus impossible de donner une définition qui serait nécessairement réductrice.

La terminologie à cet égard est significative : novella, tale, histoire, monogatari, short story, rasskaz, Erzählung, sans parler des termes particuliers utilisés par certains : ficciones de Borges, récits de Gide, et des termes proches : contes, histoires et mieux : long story, long short story, short novel. La seule langue anglaise a ces trois mots pour les nommer !

Citons enfin deux définitions très larges : l'une de Goethe : «*un événement inouï qui a eu lieu*», l'autre japonaise : «*littérature d'étonnement*».

Les dictionnaires ainsi que les nombreux articles théoriques publiés depuis le XIXᵉ siècle se font l'écho de cette diversité et de ce flou dans les définitions et les catégories. On va même jusqu'à considérer que certains épisodes de l'*Odyssée* comme Circé ou le Cyclope seraient des nouvelles insérées dans un roman épique et que les romans picaresques seraient aussi des romans gigognes où les nouvelles s'emboîtent les unes dans les autres !

Cependant peut-on espérer dégager quelques critères simples ? Celui de longueur par exemple. Pour Gide la nouvelle «*est faite pour être lue d'un coup, en une fois*». Mais, de trois lignes (*Les Nouvelles* de Félix Fénéon, *Les Contes Glacés* de Sternberg) à une page (*Les Contes Célèbres* de Paulhan, *Les Centuries* de Manga-nelli) à 100 à 200 pages au XVIIe (*La Princesse de Clèves* que nous considérons comme un roman court était considéré en son siècle comme une nouvelle) la marge est grande.

Peut-on comme certains définir la nouvelle par opposition au roman, posant que le roman serait une fiction, la nouvelle, elle, une «histoire vraie» ? Mais on songe aussitôt aux *Histoires Extraor-dinaires* de Poe par exemple ou à celles de Buzzatti ou aux *Seven Gothic Tales* de Karen Blixen et on ne peut se contenter de ce critère.

Le critère d'impassibilité ne convient pas davantage : les nou-velles de Daniel Boulanger sont marquées par son expérience de la guerre, celles de Grace Paley par son militantisme féministe.

Quant aux styles ils sont aussi très variés : Farce, Tragédie, Comédie, Picaresque, Autobiographie : réalisme, merveilleux, fantastique... Surtout en notre XXe siècle où le genre se présente comme multiforme, par opposition au XIXe où l'importance était toujours accordée à l'élément dramatique.

Quelques constantes repérables

Cependant on peut annoncer quelques traits assez généraux :

• La nouvelle comporte peu de personnages, parfois un seul suffit à occuper la scène, quelques autres ne sont qu'évoqués.

• Les sujets des nouvelles sont restreints, on part d'un élément ponctuel (arrestation d'un bandit, un collier prêté, une promenade) mais ce sujet est unique ou étonnant. On peut même dire que la notion de transgression, évidemment présente dans toutes les nouvelles de fantastique, se retrouve à des degrés plus ou moins forts dans toutes les nouvelles. En effet la nouvelle est le récit d'une rupture avec l'univers quotidien.

• Le cours de la narration se fait sur le principe de la concen-tration de tous les fils du récit vers un élément central, sur le principe de la sobriété. Ici, citons Baudelaire : «*Grâce à cette sobriété cruelle, l'idée génératrice se fait mieux voir et le sujet se découpe ardemment sur ces fonds nus, le style est resserré, concaténé...*»

• Si le roman est inséparable de la notion d'épaisseur du temps, la nouvelle est attachée à celle d'instant, mais un instant de crise.

Pour la promenade que je citais plus haut, c'est une promenade particulière : un vieux célibataire se promène au Bois de Boulogne, il voit des couples enlacés, on le retrouve pendu le lendemain (Maupassant).

C'est Louis-René Des Forêts qui nous donne une clé intéressante : *«La nouvelle peut faire entendre mieux que le roman le chant intérieur de celui qui écrit»*.

• Dans la mesure où la nouvelle est le récit de la résolution d'une crise, elle se passe dans un temps très bref, instantané, et est très centrée sur un élément, un personnage. C'est un peu de la macrophoto. En cela elle n'offre jamais une interprétation totale du monde.

• Enfin, ce moment de crise pour le personnage est lié au secret. Dans leur banalité parfois extrême, tous ces personnages ont une faille, que ce soit dans leur passé ou dans leur comportement, et cette faille les pousse à rechercher la résolution du problème qu'elle pose. Par exemple la nouvelle d'E. Welty, *Clythie* : une femme que toute la ville considère comme folle parce que prise dans une histoire familiale contraignante et qui *«recherche depuis toujours un visage dont elle a été séparée»* ; quand elle le trouve enfin dans le tonneau d'eau de pluie et s'aperçoit que c'est le sien, elle n'a pas d'autre solution que… *«Elle plia davantage son corps anguleux, plongea la tête dans le tonneau, sous l'eau, sous sa surface miroitante, dans ses profondeurs amicales, anonymes, et s'y maintint»*.

• Enfin, j'appelle anti-nouvelles des nouvelles qui n'entrent pas dans le cadre ainsi tracé, qui ne racontent pas à proprement parler d'histoires, mais sont seulement des traces d'un moment très bref, significatif d'une vie, d'une époque, d'un pays. Ainsi sont les textes de Sam Shepard (déjà cité) *«Motel Chronicles»* qui sont des «histoires brisées», des croquis pris sur le vif, des souvenirs au style ramassé dans une précision presque clinique.

Pourquoi la nouvelle ?

Si j'ai choisi la nouvelle pour clore ce parcours, c'est d'une part parce que, brève, elle s'écrit sur un élan et ne demande pas un investissement-temps démesuré, d'autre part parce qu'elle est plus facile à gérer dans la mesure où elle comporte un nombre limité de personnages, voire un seul, où elle se déroule, nous l'avons vu, sur un temps resserré, où elle est centrée sur un sujet ou un thème unique.

Donc, une raison de commodité. Ce qui ne veut pas dire que la nouvelle soit plus facile que le roman. En France elle est considérée comme un genre mineur, voire maudit (citons la réflexion de Huysmans : «*Vous me demandez si un éditeur prendrait un livre de nouvelles ? Aucun ! Les nouvelles sont comme les volumes de vers pour eux ; ils n'en veulent à aucun prix, vu que ça ne se vend pas !*»). Surtout si vous avez la prétention de débuter dans le métier par un volume de nouvelles, l'éditeur vous conseillera de vous essayer d'abord au roman ! Le paradoxe ne vous échappe pas : genre mineur mais difficulté plus grande ? Ce n'est pas à mon avis une question de difficulté mais plutôt de maîtrise. Baudelaire l'évoque bien : «*La nouvelle plus resserrée, plus condensée, jouit des bénéfices éternels de la contrainte : son effet est plus intense ; et comme le temps consacré à la lecture d'une Nouvelle est bien moindre que celui nécessaire à la digestion d'un roman, rien ne se perd de la totalité de l'effet*» Et ailleurs : «*Si la première phrase n'est pas écrite en vue de préparer cette impression finale, l'œuvre est manquée dès le début*».

Pourtant ailleurs qu'en France la nouvelle est au premier plan : en Allemagne et dans les pays anglo-saxons pour ne citer qu'eux. Dans les pays qui viennent d'obtenir leur indépendance, les écrivains utilisent la nouvelle pour produire de la littérature engagée, citons par exemple *Nouvelles Interdites* (Fédérop, 1978) par A. N'Kuma N'Dumbe, qui met en exergue «*A vous combattants d'Afrique...*»

2. Consignes

Le Conte des origines

Vous connaissez peut-être ces contes africains ou océaniens dont il existe de nombreuses éditions et qui commencent souvent par «*il y a très longtemps*», «*au commencement*», *à l'origine des choses*», «*c'est ainsi qu'ils étaient*». Ce sont souvent des contes

oraux ce qui suppose un récit constamment actualisé avec des
«maintenant», «alors», «et puis», une simplicité des enchaînements, beaucoup d'actions, des répétitions, des onomatopées etc.
Vous savez aussi que ce type de contes répond à la nécessité pour
une société de se fournir une explication possible de phénomènes
naturels incompréhensibles ou des origines de Dieu, de l'homme,
du monde, des planètes, ou même des origines des comportements
humains. Les contes aborigènes spécialement présentent une
cosmogonie vivante en se posant des questions aussi simples que
«*pourquoi l'homme ne peut voir Dieu*», «*pourquoi la lune et le
soleil ne se rencontrent jamais*».

Je vous propose donc une libre adaptation du thème des origines : vous allez tenter de fournir l'explication d'un phénomène
encore obscur qui vous amuse, vous inquiète, vous intéresse. Par
exemple :

– Comment les hommes furent créés des arbres,

– Pourquoi les pierres n'ont pas d'enfant, etc.

Commencez par une de ces formules traditionnelles que j'ai
citées plus haut, et peut-être parlez-vous à haute voix au fur et à
mesure que vous écrivez, ou enregistrez-vous, imaginant que vous
improvisez pour un auditeur privilégié, précis.

Un lieu, un événement

1er temps : Un personnage arrive dans un lieu. Racontez en une
page cette arrivée.

Rêvez d'abord un moment à votre personnage, prenez le temps
de le construire : son nom, son âge, son inscription sociale, ses tics,
ses vêtements, ses obsessions, ses peurs, ce qu'il aime faire,
manger… ses rêves, ses désirs secrets, son entourage… (Vous
pouvez écrire tout cela sur une fiche à part. Vous vous en servirez
ou non, cela contribuera à lui donner de l'épaisseur).

2eme temps : Relisez-vous. Soyez à l'affût des germes que
contient votre texte. Relevez ou soulignez des éléments signifiants
ou symboliques du lieu : celui-ci est porteur de nouveauté, la vie
va y prendre un autre cours, il y aura peut-être une remise en
question du personnage ou de ce qui le meut.

Demandez-vous comment l'histoire peut évoluer (si vous travaillez à deux, il est intéressant de faire un échange de textes et que

chacun fasse un retour à l'autre sur ce qu'il voit comme développement possible de situation).

3ᵉᵐᵉ temps : Vous allez maintenant écrire la suite de cette histoire et son dénouement en tenant compte de ce que j'ai dit plus haut à propos de la transgression et de la résolution d'une crise.

Le titre vous porte

Ecrivez l'histoire qui aurait pour titre :

– *Sous le magnolia*	– *La robe neuve*
– *L'autre*	– *Les jours de la femme Louise*
– *L'aube est déjà grise*	– *Les morts se taisent*
– *Alibi d'enfant*	– *Le bateau suicide*
– *Aller et retour*	– *Les ruines circulaires*
– *Rêves d'hiver*	– *Un homme qui est fatigué*
– *Une femme avec un passé*	– *La chambre rouge*
– *Jeux de mains*	– *La marque sur le mur*
– *Comme de petits chiens*	– *Ce qui n'a pas été écrit*
– *Le fils du boulanger*	– *La lointaine*
– *La petite Chinoise*	– *L'homme à l'affût*
– *La chambre des glycines*	– *Un clou, une rose*
– *L'enterrement d'Agathe*	– *Le tango du retour*
– *La mort du vieux garçon*	– *Four roses for Lucienne*
– *Notre première cigarette*	– *En direction du commencement*
– *Lundi ou mardi*	– *Photographie de mariage*

Vous pouvez aussi croiser la consigne précédente et celle-ci, partir du titre pour raconter l'arrivée de quelqu'un dans un lieu, etc.

Des arguments, des thèmes

En voici un choix possible, vous pouvez bien entendu, vous êtes devenu presque expert puisque nous sommes à la fin de ce livre, vous le donner vous-même, inspiré de scènes vues ou vécues, d'histoires racontées, de faits divers, d'un rêve, d'un souvenir, etc.

Mes propositions

– Un homme jeune reçoit un dimanche matin de bonne heure un

coup de téléphone qui l'appelle au secours, d'abord il ne reconnaît pas la voix...

– Un jeune homme arrive dans une ville anglaise, il cherche une chambre à louer et la trouve chez une vieille dame bizarre qui lui offre le thé...

– Une jeune femme derrière une fenêtre observe la danse d'une phalène ; tout ce qui l'entoure, dedans comme dehors, elle le voit à travers le regard qu'elle porte sur cette phalène insignifiante en train de mourir...

– Un homme arrive à Tanger pour passer Noël dans une maison qu'il a abandonnée depuis longtemps...

– Une jeune fille de seize ans rencontre tous les jours, à Berlin où elle est venue comme danseuse, une femme qui vient dans le jardin public ; la jeune fille suit cette femme chez elle...

– Anna prépare le repas de son mari en rêvant au film qu'elle va voir ce soir ou au bal où l'emmènera Bobby, un ami avec qui elle aime tant danser...

– Un couple marié depuis dix ans s'embarque pour une croisière. L'homme est violemment attiré par une jeune fille. Une tempête se prépare...

– Une jeune fille tourne en vélomoteur dans un quartier. Elle a rendez-vous avec une amie de la bande pour réaliser «une idée» qui montrera aux garçons qu'elles ne se dégonflent pas.

– Un voyageur de commerce à peine guéri d'une forte grippe se perd sur un chemin de terre. Sa voiture tombe dans un ravin, il en est sorti de justesse et se dirige vers une maison...

(Tous ces arguments sont des arguments de nouvelles connues que vous pouvez avoir lues, mais peu importe : vous pouvez aussi à partir de la même base créer autre chose, c'est un exercice très formateur).

Des débuts, des fins

De la même manière, je vous propose des débuts et des fins de nouvelles existantes, et de remplir l'entre-deux après avoir rêvé à un développement possible. Il y en a plusieurs, il ne s'agit que de faire un choix et de l'agencer avec rigueur, avec comme seule contrainte de conserver en début et en fin les textes proposés.

— Tiens, dit-il, fais la monnaie.
Oui, dit Anna.
...
Elle est la chanson que chantent les soldats.

———

– Que pensez-vous de l'Allemagne au printemps, madame ? C'est charmant à cette saison-là, vous ne trouvez pas ?
...
Les choses sont comme ça quand on voyage, nicht wahr, Madame ?

———

– Blanche, est-ce que ma chemise est repassée ?
On ne répond pas. Il crie encore :
Blanche !
...
L'enfant ne se réveillait pas. Elle se leva, le portant toujours dans ses bras, et elle s'avança ainsi sur la terre humide, entre les hauts arbres.

———

— Tout était silencieux dans la salle d'attente de cette petite gare perdue, hormis les bruits nocturnes des insectes qu'on pouvait entendre broder l'air de leurs ailes dehors dans l'herbe.
...
On voyait qu'il méprisait ce qu'il avait fait et en mesurait l'inutilité.

———

– Au milieu du long couloir de l'hôtel, il pensa qu'il devait être tard et il pressa le pas pour aller prendre sa moto dans l'encoignure où le concierge d'à côté lui permettait de la ranger.
...
Et dans ce rêve, mensonge infini, quelqu'un aussi s'était approché de lui un couteau à la main, de lui qui gisait face contre ciel, les yeux fermés.

———

– Il avait commencé à lire le roman quelques jours auparavant. Il l'abandonna à cause d'affaires urgentes et l'ouvrit de nouveau dans le train en retournant à sa propriété.
...
La porte du salon, et alors, le poignard en main, les lumières des grandes baies, le dossier élevé du fauteuil de velours vert et, dépassant le fauteuil, la tête de l'homme en train de lire un roman.

Le caché

Je vous propose maintenant de partir d'un «caché» : peur de..., désir de... qui sera le point de départ secret qui vous permettra de créer une situation, des personnages.

1. Ecrivez quelques lignes qui manifestent ce caché et portent en germe l'idée centrale de votre texte.

Exemple : la peur de vieillir. C'est une femme de quarante-cinq ans qui retrouve un ancien ami. Elle lui a donné rendez-vous, elle veut vérifier si elle l'émeut encore ou si elle a perdu toute séduction. Ce sera un dialogue.

2. Ecrivez aussi l'image-symbole, l'objet symbolisant cette relation et cette peur de vieillir, par exemple : la photo, elle se sert d'un appareil photo car elle est photographe. Je vais travailler sur l'image qu'elle donne d'elle et en parallèle l'image qu'elle saisit sur la pellicule.

3. Ecrivez aussi le lieu où se déroule cette rencontre : dans mon exemple ce serait sur une route de Camargue au milieu des étangs, entre des tas de sel, des engins rouillés.

4. Enfin qu'il n'y ait pas que de l'action mais des gestes, des silences, du bruit, de la couleur, des mouvements de paysage, des objets.

EN SOMME QUE L'IDÉE DE L'HISTOIRE A ÉCRIRE SOIT CE QU'ON N'OSE PAS DIRE ET QUI NE SERA PAS DIT NOMMEMENT (LA PEUR DE VIEILLIR), MAIS ÉVOQUÉ PAR LE TEXTE.

Une fois que vous aurez préparé votre travail de cette manière-là, vous pouvez écrire.

La nouvelle nouvelle

Pour finir, peut-être voudrez-vous échapper au schéma narratif classique (encore que certaines nouvelles, de Virginia Woolf par exemple, ne soient pas narratives, ainsi *La Mort de la Phalène*). Vous voudrez créer des nouvelles parallèles au principe du Nouveau Roman, où il ne se passe apparemment rien.

Faites-le. Donnez-vous l'observation d'un bref moment, et à travers la peinture fine, précise, de ses états successifs, laissez faire un tout petit changement qui déterminera un irréversible. N'ayez plus le souci de créer un personnage, intéressez-vous plutôt à des mouvements cœnesthésiques dans un cadre donné (voyez par exemple le fonctionnement des *Tropismes* de Nathalie Sarraute dont j'ai parlé précédemment).

Cette consigne, allez-vous dire, est proche de celle que je donnais au chapitre VI, «Grappe de sensations» ; en effet, toute la différence réside dans le caractère achevé du produit. Au chapitre VI, il s'agissait d'écrire un texte, ici, il s'agit d'une nouvelle, c'est la différence entre l'expression et la création dont je vais parler en conclusion.

Une conclusion qui est un commencement...

Notre atelier d'écriture «par correspondance» se termine. «Que va-t-il se passer pour nous qui restons livrés à nous-mêmes et avons le désir de continuer, de passer d'une démarche d'élève à une démarche de producteur ?», demandent généralement les étudiants à la fin de chaque cycle d'atelier.

Voici ce que nous pouvons répondre actuellement, en fonction du discours du temps sur l'art et ses conditions de production.

D'abord, cette demande suppose un déplacement de la personne, et que vous passiez d'une attitude d'expression à une attitude de création. Vous avez fait des gammes, vous avez découvert les possibilités infinies de la langue et de la littérature déjà existante, et vous vous apprêtez à être seul face à la page blanche et à votre désir. Vous voulez créer, et vous en avez le droit.

Rappelons que nous avons précédemment récusé la division du travail qui règne actuellement, où l'écrivain est dans le ghetto de l'art, les pédagogues dans celui de la pédagogie, l'amateur dans celui des ateliers. Il n'y a pas de prédestination ou de vocation. Ce qui sépare l'amateur du créateur, c'est tout d'abord que le premier est dans une démarche d'imitation des formes, et que le second est dans celle d'invention à partir de formes préexistantes, en accord avec ce qu'Artaud nomme «la force qui est en dessous». Ensuite, ce qui les sépare, c'est la quantité de travail et la régularité. Et plutôt que de créateur (qui suppose un côté démiurgique), je préférerais parler d'ouvrier, «ouvrier de langue».

Etre «ouvrier de langue», cela suppose ce changement : en venant en atelier d'écriture, le pédagogue, l'amateur, l'étudiant a une demande d'expression : il considère qu'il y a un «plein» en lui qui doit se vider dans son écrit et trouver sa forme, et que le texte qu'il écrit doit exprimer son identité. L'écrivain quant à lui pour écrire est obligé de devenir écriture, de transformer son identité, de modifier son rapport au temps, au vécu, aux émotions.

Ecoutons ce que dit Jacques Derrida dans *L'Ecriture et la Différence* [1] à propos d'Edmond Jabès :

Absence de l'écrivain aussi. Ecrire c'est se retirer. Non pas dans sa tente pour écrire, mais de son écriture même. S'échouer loin de son langage, l'émanciper ou le désemparer, le laisser cheminer seul et démuni. Laisser la parole... La laisser parler toute seule, ce qu'elle ne peut faire que dans l'écrit... Laisser l'écriture c'est n'être là que pour lui laisser le passage, pour être l'élément diaphane de sa procession : tout est rien. Au regard de l'œuvre l'écrivain est à la fois tout et rien. Comme Dieu.

L'écrivain est donc celui qui a un projet en fonction d'interrogations esthétiques liées à sa lecture du monde et choisit ses méthodes de travail en fonction de ces interrogations.

Dans le premier cas, un sujet qui écrit sur sa fonction de sujet, dans le deuxième cas le sujet se transforme, se prête à la démarche de l'objet. «*L'écriture le traverse*». Cela a pour conséquence que ce qu'il produit n'est pas issu de lui mais coupé de lui. «*L'écriture est le moment du désert comme moment de la Séparation*».

Et Jabès dans *Le Livre des questions* : «*Marque d'un signe rouge la première page du livre, car la blessure est inscrite à son commencement*».

Le passage de l'une à l'autre des attitudes est possible, il suppose que l'écrivant transforme ou clarifie son rapport à l'art et donc son rapport au monde. Qu'il se dise non plus «l'important c'est ce que je suis» mais «l'important c'est ce que je fais». C'est une position philosophique, et aussi une position de sacrifice, celui de Bernard Palissy brûlant ses meubles pour faire ses plats. (Et ce disant, je renvoie aux théories de Bataille, sur la *Dépense* comme inhérente à la Production dans «*La Part maudite* [2]»).

Au niveau du texte maintenant, la différence est que si le texte produit en atelier a besoin de cette occasion-là pour exister, le texte de l'écrivain est coupé de son occasion, comme Claude Simon le disait lui-même dans sa communication de Cerisy sur «*Le Nouveau Roman*».

---

1. Coll. Points, Seuil, 1967.
2. Ed. de Minuit, 1967.

«*Le texte est GRATUIT, IL EST*».

Alors on peut énoncer un certain nombre de critères qui sont ceux du «texte-création» :

– L'intérêt du texte est dans le texte et non pas dans ce dont il est porteur : idéologie, propos, rapport à la personne qui l'a produit. Non, le texte lui seul, sur la page, c'est cela que le lecteur appréhendera et qui lui sera nourriture ou plaisir.

– La priorité n'est plus accordée au FOND mais à la FORME, l'un a épousé l'autre, c'est le travail de la forme qui est premier.

Cette forme est motivée par une hypothèse sur les rapports entre l'écriture et le monde, sur le sens qu'a l'acte d'écrire pour cette société dans laquelle il est produit (notamment la forme est liée à l'espace et au temps).

On ne posera plus alors la question de «Qu'est-ce que je vais écrire ?», mais de «Comment rendre compte ?».

Ecoutons, pour clore cet ouvrage, Derrida :

«*Sans l'interruption entre les lettres, les mots, les phrases, les livres, aucune signification ne saurait s'éveiller. A supposer que la Nature refuse le saut, on comprend pourquoi l'Ecriture ne sera jamais la Nature... Elle ne procède que par saut, ce qui la rend périlleuse. La mort se promène entre les lettres. Ecrire, ce qui s'appelle écrire, suppose l'accès à l'esprit par le courage de perdre la vie, de mourir à la nature.*»

Bibliographie

I. Ouvrages théoriques

Roland BARTHES, *L'Empire des Signes*, Genève, Skira, 1970. *Roland Barthes par Roland Barthes*, Paris, Seuil, coll. «Les grands écrivains par eux-mêmes», 1972.

Sigmund FREUD, *Le mot d'esprit et ses rapports avec l'inconscient*, (1905, trad. fr. Paris, Gallimard 1930, rééd. coll. Idées 1981). «L'inquiétante étrangeté», in *Essais de psychanalyse appliquée*, 1919, trad. fr., Gallimard 1933, rééd. coll. Idées 1983).

Julia KRISTEVA, Σημειωτικὴ, *Recherches pour une sémanalyse*, Paris, Ed. du Seuil, 1967.

Vladimir PROPP, *Morphologie du conte*, 1928, trad. fr., Paris, Ed. du Seuil, 1970.

Gianni RODARI, *Grammaire de l'imagination*, Einaudi, 1974, trad. fr. Editeurs français réunis, 1979.

II. Auteurs

Nous ne reprenons pas systématiquement dans cette rubrique tous les auteurs dont nous nous sommes inspirées, mais uniquement ceux qui nous paraissent les plus importants :

BORGES, *Fictions*, 1956, trad. fr. Gallimard 1957 et 1965. *Le rapport de Brodie*, 1970, trad. fr. Gallimard 1972.

Italo CALVINO, *Les Villes Invisibles*, trad. fr., Ed. du Seuil, 1974. *Si par une nuit d'hiver un voyageur*, Ed. du Seuil 1981.

Julio CORTAZAR, *Les armes secrètes*, trad. fr., Gallimard, 1963.

M. COYAUD, *Fourmis sans ombre*, Ed. Phebus 1978.

Michel LEIRIS, *Glossaire, j'y serre mes gloses*, première publication en revue en 1925, repris in *Mots sans mémoire*, Paris, Gallimard, 1969. *Langage Tangage*, Paris, Gallimard, 1985.

Sur Michel LEIRIS : Philippe LEJEUNE, «Michel Leiris, Autobiographie et poésie», in *Le Pacte autobiographique*, Paris, Ed. du Seuil 1975, p. 245-307, et «Post-scriptum à Lire Leiris», in *Moi aussi*, Paris, Ed. du Seuil 1986, p. 164-177.

Georges PEREC, *La Disparition*, Paris, Denoël,1969. *Les Revenentes*, Paris, Julliard, 1972. *Je me souviens*, Hachette, 1978. *W ou le Souvenir d'enfance*, Paris, Denoël, 1975. *La Vie mode d'emploi*, Paris, Hachette, 1978.

Sur Georges PEREC ; *Cahiers Georges Perec*, n° 1, P.O.L 1985, Harry MATHEWS, *Le Verger*, Paris, P.O.L. 1986, et Claude BURGELIN, *Georges Perec*, Paris, Ed. du Seuil, Coll. «Les contemporains», 1988.

Francis PONGE, *Le parti pris des choses*, Paris, N.R.F., 1942.

✱ Raymond QUENEAU, *Exercices de style*, Gallimard, 1947. *je l'ai*

Raymond ROUSSEL, *Comment j'ai écrit certains de mes livres*, 1935, rééd. J.J. Pauvert, 10-18, 1977.

Jean TARDIEU, *Le Professeur Froeppel*, Gallimard, 1978.

Sur l'Oulipo :   → *Le style enfantin*

Oulipo, la littérature potentielle (Paris, Gallimard, Coll. Idées, 1973) que nous citons sous la référence : Oulipo I.

Oulipo, Atlas de littérature potentielle (Paris, Gallimard, coll. Idées, 1981). Oulipo II.

La bibliothèque oulipienne (Paris, Ramsay, 2 vol., 1987). Oulipo III.

III. Auto-édition, compte d'auteur, édition

Roger GAILLARD et Jean-Jacques NUEL, *Annuaire à l'Usage des Auteurs cherchant un éditeur*, Ed. du C.A.L.C.R.E. (Comité des Auteurs en Lutte contre le Racket de l'Edition), B.P. 17, 94400 Vitry Cedex, 1986).

Jean GUENOT, E*crire, Guide pratique de l'écrivain*, chez l'auteur, 85 rue des Tennerolles, 92210 Saint-Cloud, en particulier la deuxième partie, «L'écrivain et l'édition».

IV. Sur les ateliers d'écriture

Elisabeth BING, *et je nageai jusqu'à la page*, Paris, Ed. des Femmes, 1976.

Christine DOTH et Simone JEANNE, *Exercices d'expression écrite* (fascicule dactylographié, 50 pages, inédit).

Alain DUCHESNE et Thierry LEGAY, *Petite fabrique de littérature*, Paris, Magnard, 1985.

Annick MAFFRE, *Ateliers d'écriture, Recherche sur quelques ateliers d'écriture*, Mémoire de D.E.A., Université de Provence, octobre 1988 (168 p. dactylographiées).

Geneviève MOUILLAUD-FRAISSE, Nicole VOLTZ, Andrée GUIGUET, *Différences - références culturelles*, communication au colloque de Cerisy «Ateliers d'écriture» (1983), (inédit).

TEM (Texte en mains), revue, n° 1 «Ateliers d'écriture», Grenoble, printemps 1984.

Composition micro : ALMA EDITIONS – 92150 Suresnes
Impressions Dumas, 42009 Saint-Étienne
N° d'imprimeur : 29040
Dépôt légal : mars 1989
Imprimé en France